KB104126

인문학 노마드

인생의 방향을 바꾼 10인 작가이야기

인문학 노마드

인생의 방향을 바꾼 10인 작가이야기

발 행 일	2024년 7월 15일
지 은 이	권태용 김영윤 김옥희 박성하 박우연
	소은순 신성자 유종숙 이서미 이우자
편 집	박부전
디 자 인	서연하
발 행 인	권경민
발 행 처	한국지식문화원

출판등록	제 2021-000105호 (2021년 05월 25일)
주 소	서울시 서초구 서운로13 중앙로얄빌딩 B126
대표전화	0507-1467-7884
홈페이지	www.kcbooks.org
이 메 일	admin@kcbooks.org
ISBN	979-11-7190-037-4

ⓒ 한국지식문화원 2024

본 책 내용의 전부 또는 일부를 재사용하려면
반드시 저작권자의 동의를 받으셔야 합니다.

인문학 노마드

인생의 방향을 바꾼 10인 작가이야기

권태용 김영윤 김옥희 박성하 박우연
소은순 신성자 유종숙 이서미 이우자

한국지식문화원
BOOK PUBLISHING

발간사

한국출판지도사협회 인문학 강사 공저 출판 프로젝트, 화려한 인생2라운드를 누리는 스타 인문학 강사들의 인문학 강의 이야기 「인문학 노마드 - 인생의 방향을 바꾼 10인 작가의 이야기」가 출간되었습니다. 예전의 대학 교양 수업 강의실에서 듣던 고전적인 인문학이 아닙니다. 시대의 변화와 교육 패러다임의 변화에 맞게 진화한 실전 강의 현장에서 사랑받는 톡톡 튀고 흥미로운 인문학 강의 이야기를 소개합니다.

기업체, 공공기관, 대학교 인문 소양 강의에서조차 수강생들의 니즈를 반영한 다양한 소재로 인문학적 접근을 시도하고 있습니다. 인문학적 지식을 풍부하게 하는 것을 넘어, 발상의 전환, 조직의 소통, 융합을 꾀하는 다양한 앵글에서 인문 강의에 접근합니다.

명강사 10인의 오랜 강의 노하우가 녹아 있는 개성 넘치는 인문학 강의 이야기가 다양한 기관 교육 담당자들에게 인사이트를 줍니다. 한정된 시간의 교육으로 조직원의 변화를 끌어낼 강의 소재와 강사를 섭외하는 것은 교육 담당자의 중요한 역할입니다.

다양한 단체의 교육 섭외 담당자분들께 강사들의 다양성과 역량을 소개하며, 단순히 지식을 전달하는 것을 넘어, 우리에게 영감을 주고 새로운 관점을 제시할 것입니다.

이 책을 통해 여러분은 다양한 분야의 강사들 이야기를 만나볼 수 있을 것입니다. 우리는 그들의 이야기를 통해 조직원 개인과 조직의 성장과 발전에 도움을 얻을 수 있을 것입니다.

감사합니다.

권경민
발행인
한국지식문화원 대표

TABLE OF CONTENTS

죽어가는 매장 살리기 시리즈 저자
창업 판매 전문 지원센터 교육원장
소자본창업, 1인 창업전문 지도교수
글로벌 세종창업연구소 책임연구소장
정부 정책 자금 컨설팅 전문가
온 오프라인 판매 책임 연구원
세종대학교 호텔경영학 박사
방송전문 마케팅 강사
출판지도사
출판지도사협회소속 부회장 및 대전 서부지부장

http://www.o2ostartup.kr
010-8221-2231

권태용 프로필
kwonty3388@naver.com

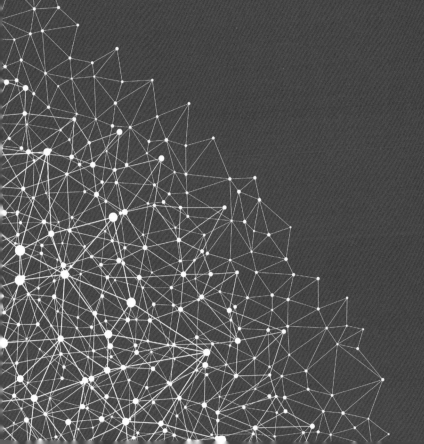

1위로 와요!
정확하고 마진만 맞으면
'다'
팔아드립니다.

나는 불경기 속에서도 무조건 '판매'되는 인문학 강사다.

"고객 '기대 초과' 판매는 감동이 근본이다."

-권태용-

'모두가 입을 모아 상품이 좋다는데, 왜 팔리지는 않을까?' 상품이 좋다고 해서 무조건 팔리는 것은 아니다. 나는 팔리는 법만 20년간 고민했다. 사실 팔리지 않는 이유는 단순하다.

"고객을 모르기 때문이다."

아무리 뛰어난 강점과 메리트를 지닌 상품이라도 고객은 "이것으로 문제가 바로 해결될까? 원하는 것을 실패 없이 얻을 수 있을까?"라는 두 가지 동기로 모든 상품에 접근한다. 한마디로 '고객의 니즈와 상품의 해결책'을 이해하지 못하면 고객은 오지 않는다는 이야기다. 정말이지 고객은 마음이 동하지 않으면 꿈쩍도 하지 않는다.

나는 20년간 그냥 지나치기엔 아쉬운, '마음이 동하는 상품'을 판매해 왔다. 내 스스로 밝히기는 쑥스럽지만, 권태용의 명함은 호텔경영학 박사, 세종창업연구소 책임연구소장, 소자본창업 지도교수, 1인 창업 전문 지도교수, 온·오프라인 판매 책임연구원, 종이책/전자책 기획제작 전문가, 출판지도사, SNS 마케팅 전문가(유튜브, 인스타그램, 블로그 등) 등의 경력으로 채워져서 확실한 판매 전문가임을 자부하고 있다.

방송으로는 'EBS 다큐 시선', 채널A '먹거리 X파일', MBC '경제 매거진 M', MBC '생방송 오늘 저녁' 전속 출연 등 다양한 경제, 경영 방송에 100회 이상을 출연하였으며, 책으로는 『실전 창업 전문가가 전하는 하루 10분으로 죽은 점포 살리기』, 『킬러 콘텐츠로 보는 진짜 창업』, 『잘 팔리는 창업 이야기』, 『업종 변경 죽은 식당 살리기』, 『하루 5분의 기적 매일 판매하는 판매 영업 시크릿 노하우』 등 전자책과 논문까지 11권의 저서를 집필하였다.

나에게는 "1위로 와요! 정확하고 마진만 맞으면 '다' 팔아드립니다."라는 소신이 있다. 지금도 실전 판매로 돈을 버는 기회를 무한히 제공하는 판매 전문 강사로서 참고 서적을 쓰고 있다. 이 책은 기발한 마케팅 이론이나 첨단 세일즈기법을 다루는 이론서가 아니다.

호텔 다이닝을 시작으로 포장마차, 산골 카페, 허허벌판 전문 식당, 커피 전문점, 옥상 꽃집, 프랜차이즈 창업, 백화점 건강식품 판매, 네트워크 상품 판매까지 20년 동안 흘렸던 피, 땀, 눈물 속에서 뽑아 올린 실전 판매 영업의 현실과 성공 노하우를 인문학적으로 풀어낸 '판매 보감'이라 할 수 있다.

이 책은 판매 영업 기술을 습득하기에 앞서 먼저 자신을 살피고, 고객을 알려고 노력하며, 고객과 유대감 속에서 '감동' 주는 사람이 될 것을 이야기한다. 독자는 이 책을 통해 진짜 나다운 나, 참된 나로서 자신 있게 고객에게 인정받고 신뢰받는 나로부터 출발하는 법을 배울 것이다.

그리고 인간의 기본적인 욕구 충족을 먼저 이해하고 상품 판매 등을 통해 고객의 필요를 가장 잘 만족시켜 줄 방법을 알게 될 것이라고 본다. 성공한 CEO 대부분은 이런 비밀을 알고 행동하는 판매인이었다.

필자는 인문학적 배경과 맥락에서 판매를 촉진하는 노하우를 전수하는 경제 인문학 전문가이자 실전에서 많이 팔아본 진짜배기 영업인이다.

인문학적 판매의 독특한 USP 전략(소구점)

'USP(Unique Selling Proposition) 전략'이란 소비자들의 욕구는 있지만 경쟁사 제품에는 없는 우리만의 독특하고 차별화된 가치로 접근하는 전략이다. 즉 소구점은 어떤 제품이나 서비스의 특징 가운데 소비자의 흥미를 불러일으키거나 마음을 끄는 점을 말한다. 쉽게 말하면 구매자에게 전달하고 싶은 제품의 남다른 특징과 강점이라고 할 수 있다. 내가 개발한 제품의 서비스와 소구(USP)할 핵심 내용까지도 비슷한 제품을 판매하는 곳이 바로 경쟁사이다. 경쟁사와 우수성을 겨루려면 먼저 '지피지기백전불태(知彼知己百戰不殆)'의 지혜를 갖추는 것이 필수라고 본다.

2500년 전 중국의 손자도 적(경쟁자)의 '정보'의 중요성을 강조했다. 보통 사람들은 '지피지기'라 하면 '백전백승'이나 '백전불패'를 이어서 떠올리겠지만 손자병법에 나온 말은 '백전불태', 즉 '적을 알고 나를 안다면 백번 싸워도 위태롭지 않다'라는 말이다. 상대방과 자신의 약점과 강점을 알아보고 승산이 있을 때 싸워야 이길 수 있다는 뜻이다.

안타깝게도 많은 판매자가 자기 제품의 장점과 강점을 정확하게 모른 채 치열한 경쟁에 뛰어든다. 나만 좋으면 다른 사람도 좋을 거라는 막연한 기대감으로 제품을 판매한다. 하지만 경쟁사보다 우리 회사 제품 수준이 떨어지거나 비슷하다면 무조건 경쟁사보다 좋은 제품을 만드는 데 주력해야 한다. 인문학적 판매 소구점도 경쟁사의 상품보다 우수한 품질 개발은 기본이고 매일 점검까지도 확실히 해야 한다고 강조하고 싶다.

매일 조금씩이라도 시간을 투자해서 경쟁사의 제품과 차별화된 장점과 강점을 파악해야 한다. 자투리 시간을 활용해서라도 매일 꾸준히 노력한다면 일주일이면 경쟁사 TOP 5의 성장 기회 분석이 가능하다.

잘나가는 회사는 매일 상품을 점검하고 차별화를 위한 절차를 신속하게 진행한다. 우리도 고객의 편의를 위한 제품이나 서비스에 확실한 변화를 줄 수 있는 내용적 판단과 접근, 그리고 경쟁사 제품과 차별화된 특성을 부여하여 우리 제품에 대한 구매 욕구를 자극해야 한다.

경쟁사 제품을 연구하는 데 시간을 투자하지 않는다면 경쟁사의 개발 속도를 따라잡을 수 없을 뿐 아니라 급변하는 시장의 트랜드에도 뒤처질 것이다.

소구점 대, 중, 소로 구분하기

요즘 제품의 '러닝 커브(Learning curve)'는 과거에 예측 가능했던 '인지-익숙-선호-구매' 구조의 마케팅 깔때기가 아니다. 잠재 소비자가 고객으로 변화해 가는 과정이 과거와 달라졌다는 이야기다.

간단한 예로 유튜브나 인스타그램(SNS)의 유명 인플루언서가 좋아하는 물건이면 곧바로 팔로워의 구매로 이어진다. 예전처럼 대중매체를 통해 제품을 광고해서 소비자들에게 먼저 인지시키는 과정이 생략됐다. 시대적으로 순간순간 변하는 소비패턴과 대, 중, 소의 소구점을 정확하게 인지하고 적용하는 것이 바로 인문학적 판매의 핵심이다.

정리하자면 산과 숲 그리고 나무를 구분해서 보는 방식이라고 할 수 있다. 우리가 판매하는 어떤 상품이 있다면 대표적인 상품 특징을 도출 후(대소구), 그 특성을 다시 세분화하여 다양한 요소를 도출하고(중

소구), 그 요소들을 실제 소비자의 디테일한 행동과 연결해 구체적인 소구점을 도출하는(소소구) 일이 중요하다는 이야기다.

많은 회사가 소구점을 잡을 때, 디테일한 소소구 설정을 간과한다. 이유는 소비자의 빠른 변화에 대응하기가 어려울 뿐 아니라 연구 시간이 오래 걸리기 때문이다.

하지만 매일매일 적은 시간이라도 그 변화를 세심하게 점검하고 그러한 경험이 쌓인다면 다음 판매를 위한 디테일한 소구점도 명확하게 보일 것이다. 자투리 시간을 활용해서라도 의미 있는 소구점을 잡기 위해 매일 연구한다면 인문학적 판매 영업의 USP 전략(소구점)을 알게 될 것이다.

판매 인문학 강의 커리큘럼의 예시는 아래와 같다.
나는 '고찾사(고객이 스스로 찾아오는 사람)'다.
판매 마스터 되기
매일 프로정신으로 무장하기
판매에도 틈새시장이 있다.
판매로 보는 틈새시장의 필수 고려 사항 15가지
순간순간 전략적 판매 마인드를 만들어라.
매일 판매될 수 있는 문화를 만들어라.
목표 달성 26개 판매 영업 전략
판매원의 올바른 자세와 판매 방법

고객이 원하는 것을 만들어 판매하는 방법

지금 팔리는 이야기는 따로 있다.

고객의 니즈를 정확하게 파악하고 판매하자.

감동과 함께 판매하는 방법

스스로 팔리는 상품의 비밀

고객 불만족 요인을 제거하고 판매하는 방법

공짜 마케팅으로 고객 모시기

적은 돈으로 알찬 마케팅하는 방법

잘 팔리는 소구점의 실마리

소구점과 함께 상품에 대한 이해와 실천

소구점과 함께 잠재 고객 파악과 마케팅

소구점과 함께 판매자의 판매 능력 평가

뇌리에 '꽂혀야' 소구점이다.

스마트한 목표를 가져라.

아무도 모르는 마케팅의 비밀

판매 전문가라면 SNS 마케팅은 왜 해야 하는가?

브랜드가 좋으면 50%는 성공이다.

앞으로 1년, 여러분의 비즈니스 100% 달라질 것이다.

은퇴 없는 '평생직업' 마케팅 전문가 되는 법

매장도 손님이 몰리는 명당이 있다.

내 삶의 마지막 소명인 판매 전문 강사

나는 내 삶의 마지막 소명으로 실전 판매 전문 강사가 되기로 했다. 그동안 내 삶은 변화와 도전의 연속이었고 그것을 내 소명으로 받아들였다. 특히 판매 일을 통해 인연이 된 모든 분들이 돈, 사람, 건강, 과거와 미래로부터의 자유로움과 함께 현재의 행복에 완전히 몰입하면서 마음 단단하게 살아갈 수 있도록 도울 것이다. 이것이 내가 판매 전문 인문학 강사로서 갖는 사명감이다.

지금까지 우리가 알고 있던 판매 방법과 형태는 크게 변화하고 있다. 온라인과 오프라인 경계가 희미해지는 '빅블러(Big Blur)' 현상을 시작으로 브랜드가 크건 작건 결국 많이 팔려야 희망이 보이는 지경에 이르렀다.

사실 모든 물가가 고공행진을 하고, '팔아도 되는 것 vs 팔면 안 되는 것'을 고민하다 혹시나 하는 마음에 또 다른 제품을 만지작거리는 판매자의 현실은 참으로 비참하게 느껴진다. '팔아도 되는 것'은 세금이 부과되는 것이라 걱정이고 '팔면 안 되는 것'은 모든 비용이 늘어 팔아도 남는 것이 없기 때문이다.

사실 지금 같은 불황에는 판매자와 소비자 모두 경제적인 혼돈 상태를 경험한다. 이럴 때일수록 낯선 신제품을 개발하는 도박은 피해야 할 것이다. '새것 중고' 할 것 없이 소비자의 주머니 사정을 생각하면서 무엇을 판매할지 선택하고 집중해야 살아남을 수 있다. 경기 침체가 가중되는 혹독한 시점에서 누구든 판매의 필승 전략을 두드리고 싶어 한다. 진탕 팔아본 필자의 살아있는 아이디어와 함께 경제 인문학으로 가져올 결과를 기대해도 좋다.

하나라도 팔아보려고 파헤치는(무엇을?) 온라인 쇼핑몰 사장님, 살아남아도 살아남은 게 아닌 요식업 사장님들의 슬픔, 마트 진열대에 오른 농산물에 배어있는 고달픈 농부들의 피와 땀, 희망 잃은 건강식품 제조사 사장님들의 주름과 늘어난 흰머리는 필자가 늘 애틋하게 마음에 품고 있는 독자들의 모습이다.

무엇이든 필요한 것을 저렴하게 구매할 줄 아는 똑똑한 소비자에게도 확실하게 판매할 수 있는 방법을 알려줄 경제 인문학 강사로서 필자는 여러분의 더 나은 삶이 앞당겨지도록 최선을 다해 안내할 것이다.

"고객 '기대 초과' 판매는 감동이 근본이다."
〈권태용〉

한국디지털문화교육원 대표
한국지식문화원 대표강사
디지털문화교육원 선임연구원
한국명강사평생교육원 대표강사
한국힐링센터 대표강사
한국출판지도사협회 작가
KCN뉴스 기자, 취재부장
한국챗GPT교육협회 홍보부장
한국시니어스타협회 전속모델
최인아 아키데미 전속모델

@dkditk73
010-7775-5479

김영윤 프로필
sunmee9@naver.com

시니어모델에서 인문학 강사로
(새로운 도전의 시작)

나는 시니어모델 인문학 강사다!

"당신은 주인공이 되어야 합니다. 단순히 밴드의 연주를 듣기만
해서는 안 되고, 밴드의 일원이 되어야 합니다."

-Sonia Hess-

몇 년 전부터 나의 명함이 바뀌기 시작했다. 사리원 돼지국밥 대표에서 한국 디지털 문화연구원 대표. 디지털 융합교육원 선임연구원. 한국 명강사 평생교육원 이사. 한국 힐링센터 대표 강사. 출판지도사. 챗GPT 강사. 한국 콘텐츠 능률협회 강북지부장, 대한노인회 강북지부 강사, 그 외에 KCN 뉴스 취재 부장, 국제 자원봉사협회 산하 AI 콘텐츠 팀 강사. 행자부 산하 1365 봉사단, 한국 스타협회 모델, 최인아 아카데미 모델, k시니어협회 배우 등 다양한 분야에서 다양한 일과 강의를 하고 있다.

언뜻 보면 다 무관한 듯 보이지만, 한국 디지털 문화연구원은 편리한 모바일 디지털 문화를 선도하는 회사로 지식문화기업이다. 인공지능 시대를 살아가면서 연결고리로 다 연결된 일들이다.

주관)실버아이티비 (사) 한국 시니어 스타협회가 주최한 k시니어 뷰티 콘테스트에서 블루미와 줄로그 패션 스타상을 수상했으며, 「50에 맞은 나의 20살」「지금 떠나면 행복해집니다」를 집필한 베스트셀러 작가이기도 하다.

나는 강사란 직업이 너무 좋다. 돈을 많이 버는 것도, 강연장이 정해진 것도, 안정적인 생활이 보장된 것도 아니다. 담당자들이 불러줘야지만 일할 수 있는 직업 강사. 하지만 스스로를 쉬지 않고 성장하게 만든다. 그래서 나는 가슴이 뛴다. 내일은 어떤 곳이 나를 기다릴지 기대된다.

결혼을 일찍 해서 자녀들을 다 성장했고, 못다 한 공부를 하는 나는 노인복지학과 학생이면서, 평생 교육학을 전공하는 전문학사이다. 인문학을 전공한 것도 아니다. 하지만 자격증이 몇 개인가? 한 분야의 자격증만 있는 것도 아니다. 책 제목처럼 50살에 맞은 나의 20살의 열정으로 2종 소형 자격증(?)까지 보유하고 있으며,. 할리를 즐기고, 인생 2막을 준비하며 성장하고 있는 강사다.

"강의는 지식이 풍부한 사람만, 한 분야의 전문가만 한다는 선입견을 버리자. 물론 기술 분야는 당연히 전문가가 해야 한다. 강의를 통해 정보나 지식을 전달하는 것도 필요하다. 하지만 그 지식이 자신의 삶에 원동력이 되고 동기부여가 되어야 한다고 생각한다.

청강생들이 지금부터라도 그동안 살아온 인생보다 더 재미있게, 폼나게 살아가기를 원한다. 내 인생은 나의 것이다. 평범하게 희생과 절제만 하고 살아온 386세대들이여, 인생의 새로운 의미를 찾아보게 만드는 움직이는 강의를 들어 보라. 나는 심장 박동수가 올라가는 열정 가득한 긍정에너지를 가진 강사다."

여러 직업과 역할을 경험하며, 나는 항상 새로운 것을 배우고, 그것을 통해 성장해 왔다. 그중에서도 강사로서의 경험은 나에게 가장 큰 의미를 부여했다. 다양한 분야에서 강의하며, 나는 많은 사람들과 소통하고 그들의 삶에 긍정적인 변화를 불러오는 기쁨을 누렸다.

강의는 단순히 정보를 전달하는 것이 아니다. 나는 청중들에게 단순한 지식이 아니라, 나의 경험과 통찰을 전달한다. 이를 통해 그들이 새로운 시각을 얻고, 자신의 삶을 재평가하며 더 나은 방향으로 나아갈 수 있도록 돕고자 한다. 내가 경험한 실패와 성공, 그리고 그것을 통해 얻은 교훈은 청중들에게 큰 영감을 줄 것이다.

내가 강의하는 주제는 매우 다양하다. 디지털 문화와 융합 교육, 힐링과 자기 계발, 출판과 AI, 노인 복지와 시니어 모델링 등. 각 주제는 서로 다른 청중에게 다가가지만, 결국에는 모두 연결되어 있다. 인공지능 시대에 우리는 서로 다른 분야와의 융합을 통해 새로운 가능성을 발견할 수 있다.

강의를 통해 나는 청중들에게 다음과 같은 메시지를 전달하고자 한다. "여러분은 지금까지 쌓아온 경험과 지식을 바탕으로 언제든지 새로운 도전을 시작할 수 있다. 나이는 숫자에 불과하며, 중요한 것은 열정과 의지이다. 새로운 것을 배우고, 도전하며, 자신의 가능성을 믿어라."라고 말한다.

특히 시니어 모델로서의 경험은 나에게 큰 자부심을 준다. 나이가 들어감에 따라 많은 사람들이 자신의 꿈을 포기하고, 안정적인 생활을 추구한다. 하지만 나는 오히려 새로운 도전을 시작했고, 그 결과 많은 성과를 이룰 수 있었다.

시니어 모델로서 무대에 설 때마다, 나는 나 자신뿐만 아니라 다른 시니어들에게도 용기와 희망을 주고자 한다. 전국의 다양한 무대에 서고 유튜브와 MBC 다큐프라임, 실버 아이티비에 다수 출연했고, 세계 한인회와 세계 영화마켓에 팔릴 영상 촬영 장면이 YTN 뉴스에 보도되었다.

내 인생의 좌우명은 "끊임없이 배우고, 도전하며, 성장하라"이다. 이것이 바로 내가 청중들에게 전달하고자 하는 메시지이다. 강의를 통해 그들에게 새로운 동기부여를 제공하고, 그들이 자신의 꿈을 실현할 수 있도록 돕는 것이 나의 목표이다.

모델로 풀어나갈 수 있는 인문학 이야기는 무궁무진하다. 그뿐만 아니라 매우 흥미롭고 재미가 있다. 듣기만 해도 신기한 무대 뒤의 이야기와 나와는 무관하다고 생각되는 모델들의 일상을 인문학으로 풀어내는 시간. 그것이 나의 강의다.

모델 인문학이란 무엇인가?

　　모델 인문학은 패션모델의 역할과 역사, 문화적 의미, 사회적 영향 등을 인문학적 관점에서 탐구하는 학문 분야이다. 이는 단순히 패션쇼와 광고에서의 모델 활동을 넘어서, 패션모델이 사회와 문화에 미치는 영향을 깊이 있게 분석하고 이해하는 것을 목표로 한다.

모델의 활동이 단순히 미적 표현에 그치지 않고, 사회적, 문화적, 경제적 영향을 미치는 복합적인 현상임을 이해하는 데 도움을 주고, 모델과 관련된 다양한 문제를 더 깊이 이해하고, 보다 윤리적이고 포용적인 패션 산업을 구축하는 데 이바지한다.

패션모델의 기원은 19세기 중반으로 거슬러 올라간다. 찰스 프레데릭 워스(Charles Frederick Worth)는 1858년 파리에서 자신의 패션 하우스를 설립하고, 처음으로 모델을 사용하여 의상을 선보였다. 그의 아내 마리 베르네(Marie Vernet)가 첫 모델로 활동하면서 패션쇼의 개념이 탄생했다. 이후 20세기에는 모델 에이전시가 등장하며, 모델 산업이 본격적으로 발전하게 됐다.

1850년대 최초의 패션쇼를 개최한 찰스 프레데릭 워스(Charles Frederick Worth, 1825-1895)는 영국 태생의 패션 디자이너로, 현대 오트 쿠튀르(고급 맞춤복)의 창시자로 알려져 있다. 그는 패션 디자이너가 단순히 의류 제작자가 아니라, 창조적 예술가로서의 지위를 확립하는 데 이바지했다.

1858년 파리 패션하우스 설립하고, 같은 해에 파리에서 자신의 패션하우스인 "워스 하우스"를 설립했습니다. 이는 파리의 유명 백화점 르부르 동생들과의 협력으로 이루어졌다. 그는 패션 디자이너로서의 새로운 역할을 정의하며, 고객 맞춤형 고급 의류를 제작하는 오트 쿠튀르의 개념을 도입했다.

자신의 디자인을 고객들에게 효과적으로 소개하기 위해 "살롱 쇼"라는 개념을 도입했으며, 패션하우스 내부에서 열리는 작은 규모의 패션쇼로, 주로 하우스의 직원들이 모델로 참여했다.이 방식은 고객들이 의상이 실제로 착용된 모습을 보고 선택할 수 있게 하여, 패션하우스의 판매 전략에 큰 변화를 가져왔다.

워스의 혁신적인 접근 방식은 패션 산업에 큰 변화를 가져왔다. 고객들은 단순히 의상을 주문하는 것이 아니라, 디자이너의 창의성을 직접 체험하고 선택할 수 있게 되었다. 이후 패션쇼와 패션모델의 개념이 발전하는 데 중요한 토대를 마련했다. 워스의 성공은 파리를 세계 패션의 중심지로 만드는 데 이바지했다. 그의 패션하우스는 전 세계의 귀족과 상류층 여성들이 찾는 명소가 되었고, 파리는 오트 쿠튀르의 본고장이 되었다. 이렇듯 패션모델과 산업은 밀접한 연관성이 있으며 영향력도 대단했다.

패션모델은 사회적 역할을 통해 대중의 미적 기준을 형성하고, 이를 통해 사회적 영향력을 행사다. 패션모델이 광고, 영화, TV 프로그램 등 다양한 매체에 등장함으로써, 그들의 이미지는 대중의 미적 기준에 직접적인 영향을 미친다. 특히 슈퍼모델 시대 이후, 패션모델은 단순히 제품을 홍보하는 역할을 넘어, 사회적 이슈를 제기하고 변화를 이끌어가는 중요한 역할을 담당하게 되었다. 예를 들어, 나오미 캠벨은 패션 산업에서의 인종 다양성 문제를 제기하며, 유색인종 모델의 중요성을 강조하였다.

패션모델은 다양한 문화에서 각기 다른 의미를 지니고 있다. 서구 사회에서는 패션모델이 주로 젊고 마른 여성으로 표상되지만, 다른 문화에서는 다양한 체형과 연령대의 모델이 존재한다. 이는 문화적 다양성과 포용성을 반영하는 중요한 요소다. 최근에는 플러스 사이즈 모델, 시니어 모델 등 다양한 모델 유형이 등장하며, 패션 산업의 문화적 다양성을 확대하고 있다. 하지만 윤리적 문제도 지속적으로 제기되고 있다.

모델의 건강 문제, 노동 착취, 지나치게 마른 몸매를 강요하는 문화 등이 주요 쟁점으로 다루어진다. 1990년대 "헤로인 시크" 트렌드로 인해 모델들의 섭식 장애 문제가 부각되었고, 이는 패션 산업 전반에 걸쳐 윤리적 기준을 재검토하게 만드는 계기가 되기도 했다. 최근에는 이러한 문제를 해결하기 위해 다양한 노력들이 이루어지고 있으며, 건강한 신체 이미지를 강조하는 캠페인이 확산되고 있다.

모델은 패션 산업의 경제적 성장에 중요한 역할을 한다. 모델들은 브랜드의 얼굴로서, 제품의 가치를 높이고 소비자들의 구매를 촉진한다. 또한, 패션쇼와 광고 캠페인을 통해 브랜드의 인지도를 높이고, 글로벌 시장에서의 경쟁력을 강화한다. 슈퍼모델 시대 이후, 패션모델의 경제적 가치는 더욱 상승하였으며, 유명 모델들은 수백만 달러의 수익을 올리기도 한다. 하나의 기업이다.

모델 인문학은 패션모델의 다양한 측면을 다각도로 탐구함으로써, 패션 산업의 발전과 사회적 변화를 이해하는 데 중요한 역할을 한다.

이를 통해 우리는 패션모델이 단순한 미적 표현을 넘어, 사회적, 문화적, 경제적 영향을 미치는 복합적인 존재임을 인식할 수 있다.

아름다움의 기준과 모델의 역할, 모델을 바라보는 다양한 철학적 관점. 패션모델과 미디어 대중문화, TV, 영화, 소셜미디어에서의 모델. 패션 캠페인과 광고에서의 모델 역할 대중의 인식 변화 사회적 책임, 문화에서의 다양성과 수용, 예술로서의 패션모델의 경제적 가치는 산업과 경제에 밀접한 영향을 미친다.

모델 인문학의 미래는 AI와 무관하지 않다. 디지털 시대의 인스타그램, 페이스북, 틱톡 등의 소셜미디어 인플루언서와 디지털 모델, 가상모델과 AI 모델이 만들어지고 있고, 미스 AI 대회까지 열리고 있다.

심사위원들도 절반이 AI 모델들이다. 심사 기준도 아름다움을 떠나서 AI 기술력과 소셜미디어 영향력 등 전통미인 대회 항목도 추가되었다고 한다. 총상금도 3,000만 원에 달한다. 업계의 롤모델이 될 수 있는 인물을 찾는다고 한다.

실제 인간이 가져다줄 수 없는 "완벽함"을 인공지능을 바탕으로 생성된 결과물을 보여주고 수요자 맞춤형으로 진화하면서 모델들은 방송과 광고 등으로 영역을 확장하고 있다. 인공지능 시대가 되면서 모델 산업도 같이 성장하고 있다. 이렇듯 모델 인문학도 함께 성장하고 있고 필요할 수밖에 없다.

참여자들의 단합을 도모하고, 생소하지만 흥미를 유발하는 강의 그 것이 나의 모델 인문학 강의다.

강의쟁이로 살고 싶다.

　모델 인문학 강의쟁이로 활동하고 있는 지금, 내 인생 그 어느 때보다 행복하다. 나는 이 일을 통해 나 자신을 계속해서 발전시키고, 다른 사람들에게 긍정적인 영향을 미칠 수 있다는 사실에 깊은 만족감을 느낀다. 앞으로도 나는 더 많은 사람들과 지식을 나누고, 그들의 삶에 긍정적인 변화를 가져오는 강사가 되고자 한다.

모델 인문학을 통해 우리는 단순히 패션과 미를 논하는 것을 넘어서, 인류의 역사와 문화, 그리고 사회적 변화를 깊이 있게 이해할 수 있다. 나는 이 여정에서 작은 역할을 맡고 있지만, 그 영향은 전혀 적지 않다고 믿는다. 사람들의 삶을 풍요롭게 만들고, 그들에게 새로운 시각과 영감을 제공하는 것이 나의 목표이자 사명이다.

나는 모델 인문학 강의쟁이로서, 더 많은 사람들에게 패션모델의 진정한 가치를 전달하고, 그들의 삶에 긍정적인 변화를 일으킬 수 있도록 계속해서 노력할 것이다. 이러한 나의 여정은 앞으로도 계속될 것이며, 그 과정에서 만나는 모든 이들에게 감사와 존경을 표한다. 앞으로도 나는 열정과 헌신으로 모델 인문학을 전파하며, 더 많은 사람의 가슴에 불을 지피는 강의쟁이로 살아가고자 한다.

모델 인문학뿐 아니라 한국 디지털 문화연구원 활동을 통해 강의쟁이를 양성하고 책을 출판하면서 삶의 만족도를 올려주고, 인생 2막을 준비하면서 새로운 분야에 도전할 수 있도록 저자의 꿈을 이루어 주고, 삶의 가치를 한 단계 업그레이드 해주는 동행자가 되길 원한다. 타인의 삶을 바꾸기보다 한 단계 더 업그레이드 시켜주는 강의쟁이로 살아갈 것이다. 출판과 강연을 통해 동반 성장하는 강사가 나의 목표이다. 런웨이에 설 때도 강단에 설 때도 아직 심장박동수가 올라간다. 그래서 지금, 이 순간이 너무 행복하다.

"당신은 주인공이 되어야 합니다. 단순히 밴드의 연주를
듣기만 해서는 안 되고, 밴드의 일원이 되어야 합니다."
〈Sônia Hess〉

전)주식회사 아태유톰 대표이사
현)케이 에이 피 조형 대표
현)우리 숲 지도사 회장
현)환경 지점장
현)산림청 숲 해설사
현)환경협동조헙대표
도봉여성센터 노원50플러스 센터
도봉도서관, 강서구초등학교강의 외 다수
세상을바꾸는 퍼스널브랜딩 공저출판

010-2787-7498

김옥희 프로필
agmine76@naver.com

퇴직 후 숲 해설사 되는 법 강의

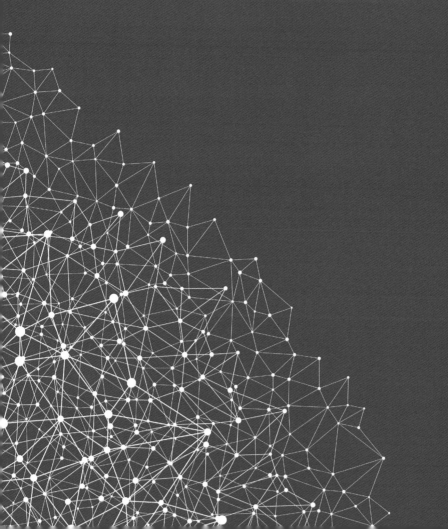

나는 우리 숲 지도사" 강사다!

"인간은 초록빛 숲에 있을 때
가장 본능적인 편안함을 느낀다."
-김옥희-

인생의 신호등에 빨간불이 들어올 때가 있다. 건강이든, 사람이든, 돈이든… 번아웃이 올 때가 있다. 신호등에 빨간불이 들어오면 일단 멈춰야 한다. 번아웃이 왔다는 것은 인생 패턴을 바꾸라는 신호다. 일단 멈춤! 그리고 생각하기. 다시 방향 잡고 행동하기를 해야 한다. 방향을 바꾸기 위해 미리 준비(생각)가 필요하다.

나의 대표 명함에는 '우리 숲 지도사' 대표로 기재되어 있다. 우리 숲 지도사 자격증은 숲에서 퇴직 후 돈을 벌며 일하는 방법을 알려주는 것을 주 내용으로 하는 자격증이다.

그 외에도 산림청 숲 해설사 /숲 치유지도사 /생태 놀이 지도사/길 문화해설사 아동 숲놀이 전문가/탄소중립 지도사/환경지도사 다음 커리어 청소년 진로코칭 지도사/임업 숲 후계자/출판지도사 외 다수의 자격증을 가지고 있으며, 도봉 여성센터 /도봉 도서관 노원50플러스센터 / 강서구 초등학교 외의 강의경력이 다수 있고 전자책과 공저 (세상을 바꾸는 퍼스널 브랜딩 도서를 출간한 작가이기도 하다.

하지만 누군가 나에게 본업이 뭐냐고 묻는다면, 나는 미련없이 우리 숲 지도사'라고 주저하지 않고 답한다. 왜냐면 내 숲 강의와 내 숲 해설 현장에는 늘 숲과 사람을 이어주는 인문학의 오작교가 있기 때문이고 실제 내 강의는 청중을 울리기 때문이다.

나는 숲을 알리는 강사다! 내 강의는 울림이 있고 숲을 바라보는 청중의 생각과 시선을 바꾼다

나의 강의에 관한 신념은 누구나 하는 숲 강의가 아니라 아무도 들어보지 못한 느껴 보지 못한 기억에 남는 다시 찾고 싶은 강의를 하는 일이다.

2014년 연 매출 50억 회사 대표 자리에서 사업 실패로 나오고 우연히 수락산을 매일 다니다 도서관에서 아이들에게 숲에 관한 책을 읽어주고 숲 놀이를 해주게 되었고 자격도 없이 아이들을 가르치다 보니 아이들에게 봉사라도 미안해지기 시작했다.

무작정 숲에 관한 처음에는 3년간 7가지의 숲과 환경에 관한 자격증을 따다 국가자격증을 딴 뒤 2023년 첫 강서구에 있는 초등학교와 여성센터. 도서관. 50 플러스 등 성인과 아이를 대상으로 숲 해설 강의를 하기 위해 피나는 노력을 했다. 노력을 하다보니 숲은 단순히 숲이 아니라 인문학과 삶을 접목한 인문 소양 강의의 방향으로 흘러가기 시작했고 다행히 청중들은 내 강의에 울고 웃고 나 또한 그 가운데서 밀려오는 감동과 뿌듯함이 있던 곳에 숲이 있었다. 숲과 인간 숲과 환경 숲의 이야기 숲이라는 주제로 풀어나갈 수 있는 인문학 이야기는 무궁무진하다. 그뿐만 아니라 매우 감동적이고 흥미롭다.

숲이라는 세계는 우리네 인생과 닮아있다.

나는 숲 해설을 단순히 식생을 설명하는 것이 아닌 나무와 풀 그리고 미생물과 무생물 숲을 지키고 있는 그들에게서 우리가 배워야 할 것 우리와 닮은 그들을 보며 다른 이들에게도 내가 느낀 숲에서의 치유와 감동을 전달하고 싶었고 그렇게 내 강의는 성인과 아이들을 대상으로 여성센터. 50플러스 불암산 도서관 등에서 강의를 진행하고 있다.

나는 정확히 말하면 우리 숲 지도사 회장이자 숲을 인문학으로 풀어서 이야기해 주는 숲의 대변인 숲과 사람을 이어주는 중매쟁이 강사다.

퇴직 후 우리 숲 지도사 되는 법

숲이라는 경이로움을 만나는 인문학 강의. 숲에 대한 기본 지식과 인문학적인 숲의 이야기를 풀어가는 수업이다. 지루하고 따분한 인문학 강의는 이제 그만! 경이롭고 신비한 교훈이 있는 숲의 이야기로 인문학 여행을 떠난다.

제2의 직업을 찾는 퇴직을 앞둔 직장인 퇴직자들 숲을 좋아하는 사람들에게 힐링과 치유, 스트레스 해소와 색다른 아이스브레이킹, 감동적인 인문학 숲 강의는 가장 완벽한 가장 호응이 좋은 강의다. 강의가 끝날 즈음이면 어느새 숲의 매력에 숲의 세계에 빠져든 청중들을 발견할 수 있다

우리 숲 지도사 인문학 강의 커리큘럼의 예시는 아래와 같다.

퇴직 후 숲 해설가 되는 법
숲의 개념과 인문학
숲의 나무와 풀의 이야기
숲에서 일하는 100가지 방법
우리 숲 지도사 되는 법

나는 숲과 사람을 이어주는

우리 숲 지도사가 되는 법을

알려주는 중매쟁이 강사로 살기로 했다.

나는 숲의 전도사 숲을 알리는 강사로 살기로 했다. 강의를 통해서 숲을 다른 시선으로 사람들이 보게 되는 계기. 숲을 통해 사람들의 삶 속에 하나의 북극성이 되어 변화와 감동을 이뤄낼 시간 60분!

감동과 숲의 경이로움을 알려주는 강사로 활동하고 있는 지금, 난 그 어느 때보다 최고의 시간을 누리며 살고 있다.

"나는 숲과 사람을 이어주는 중매쟁이 강사로 오늘도 청중 앞에 서고 있다"

브라보 마이 라이프 ~~

"인간은 초록빛 숲에 있을 때 가장 본능적인 편안함을
느낀다."
〈김옥희〉

여행작가, 강연가,
지식가이드
라오스 비전스쿨 자원봉사자
(2019년~2023년)
(재) 광주디자인진흥원 경영파트장/
디자인 사업단 과장 (2013년~2019년)
시각디자이너 (2007년~2012년)
한동대학교 시각디자인,
제품디자인 학사(2007)

박성하 프로필
vision4x@gmail.com

이제야 진짜 여행 중입니다.

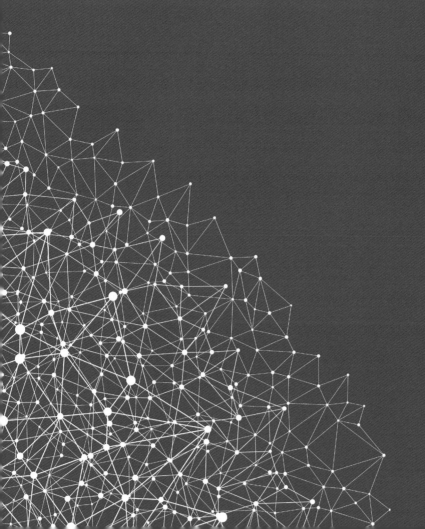

여행과 관광 사이
(20개국 46개 도시)

"
"인생의 어느 시기에는 다 각자가 자기 인생의
예언자가 되는 시기가 있다."
- 소설가 김영하-

생애 첫 여행이 혼자 떠난 두 달간의 유럽 배낭여행이었다.

태어나서 제대로 된 여행을 해본 적은 없던 내가 만 스물다섯에 62일간의 유럽 배낭여행을 떠났다. '인생의 어느 시기에는 다 각자가 자기 인생의 예언자가 되는 시기가 있다'라는 김영하 소설가의 말처럼 내 안에 어떤 확신에 이끌리듯 시간과 돈을 들여 새로운 모험을 떠났다.

군대 제대 후 복학하고 1년 동안 매일 네 시간 정도 자면서 디자인을 열심히 배웠지만 '내가 이 길을 가는 게 맞는 건가?' 하는 생각이 계속 들었다. 내가 다니던 대학은 2학년이 될 때 전공을 자유롭게 선택할 수 있었고, 4학년이 되기 전까지 전공을 다시 선택할 수 있었다.

멈춰서 생각할 시간이 필요했다. 그래서 휴학하고 7개월 아르바이트 급여를 모아 유럽 배낭여행을 떠났다. 디자인이 시작된 독일의 바우하우스를 찾아가 보고, 내가 사랑하는 고흐와 후기 인상파 그림을 직접 보고, 혼자서 두 달 동안 유럽을 여행하다 보면 답이 생길 거라는 생각에 일단 실행했다.

나는 2005년 10월 초부터 12월 초까지 62일 동안 11개국을 다니면서 한국인답게 파리에선 에펠탑, 로마에선 콜로세움, 스위스에선 융프라우를 가는 관광도 했다. 하지만 여행의 주 주제는 디자인이었기에 디자인의 시작인 '바우하우스(Bauhaus)'가 있던 세 도시 중 두 도시 바이마르와 베를린을 축에 두고 인근 도시들을 먼저 여행했다.

파리로 유럽에 들어가 여행을 한 후 독일 서쪽에 있는 빌레펠트에서 유학하는 지인을 만났는데, 내가 동쪽에 있는 바이마르로 간다고 하니까 인근 라이프치히에서 유학하고 있는 지인을 소개해 주었다. 그렇게 처음 만나는 지인의 지인의 집에 찾아가 일주일을 머물면서 바이마르와 인근 도시들을 여행했다. 또 체코에 넘어갔다 온다고 하니 5일

정도 짐을 보관해 주겠다고 해서 정말로 짐을 맡기고 체코 프라하를 다녀와 며칠 그 집에 더 머물렀다. 어떻게 보면 전혀 모르는 사람인데 초인종을 눌러 누구 소개로 온 박성하라고 말하던 나를 환대해 주고 재워줬던 그분들에게 참 감사하다. 합리적인 시스템과 디자인적 요소로 가득한 독일에서의 보낸 한 달은 디자이너로서 나의 정체성을 확고히 해주었고, 나는 나름의 답을 가지게 되었다.

디자인의 시작, 바우하우스

폭격 맞은 성당

인터넷 안되던 시절 유일한 생명줄

유대인 박물관 - 밟고 지나가는 전시

　가장 큰 숙제를 해결하고 나니, 이젠 한국과 다른 문화와 시스템을 가진 유럽을 계속 탐구하고 질문하게 되었다. 도시마다 있는 고유한 특징, 자연스럽게 녹아있던 문화적 풍부함이 나에게 많은 생각을 주었다. 하지만 진짜 나에게 질문을 던졌던 것들은 내가 한국 사회에서 경험하지 못한 것들이었다.

폭격 맞은 성당, 유대인 박물관 등 2차 대전 당시 자신들의 만행을 잊지 않기 위해 베를린 곳곳에 기록을 남겨둔 독일인들의 결정은 놀라웠다. 또 빨간불에도 누군가 길을 건너면 모두 멈춰서는 보행자 우선의 운전 습관이라든지, 이른 저녁에 가게 문을 닫고 가족에게 시간을 쏟는 그들을 보면서 당연하게 여겼던 한국의 문화를 다시 생각하게 되었다. 한국 사회 안에서 볼 수 없었던 것들을 보고, 생각하게 했다.

언젠가 한국도 부끄러움을 직시할 수 있고, 다른 사람과 비교가 아니라 오롯이 자기 행복을 추구할 수 있는 성숙한 사회가 되리라 생각했다. 그렇게 직선적인 성공이 아니라 다양하게 누릴 수 있는 행복을 추구하길 바랐다.

그래서 우리 사회가 그런 세상으로 갈 수 있도록 돕는 작가가 되고 싶다는 마음을 품고 돌아왔다. 그 메시지를 전할 도구로 디자인을 잘 활용할 수 있으리라고 생각했기에 이후에 디자인을 계속 공부했다. 여행의 '여' 자도 모르던 내가 두 달의 여행을 통해 많은 것을 얻고 돌아왔고 이후 내 삶에 귀한 추억과 자산이 되었다.

지금 생각해 보니, 생애 첫 여행이 성공할 수 있었던 것은 질문할 자세로 혼자 여행을 떠났기 때문이다. 중간에 잠깐씩 동행을 만나기도 했고, 유학하고 있는 지인들의 집에 들러 귀한 시간을 보내기도 했지만, 두 달의 여행 대부분 혼자서 낯선 공간을 여행했기 때문에 많은 것을 질문할 수 있었다.

사람을 좋아해서 항상 사람들과 시간을 보냈던 내가 누군가와 같이 갔다면 그렇게 질문할 수 없었을 것이다. 혼자서 여행을 떠나겠다고 스스로 결심한 내가 그때 나의 예언자였나 보다.

관광과 여행을 반복하다 보니 어느새 여행이 보인다.
대학을 졸업하고 신세계와 이마트에서 디자인팀을 모아 독립시킨 디자인 회사에서 시각디자이너로 일했고, 그 후엔 지방의 디자인 진흥기관에서 디자인 진흥과 경영 전반 업무를 했다. 이때 출장을 포함해 여러 번 해외를 나갔다.

블로그를 찾아 여행지에서 꼭 가봐야 할 곳, 식당, 카페를 알아보고 이동 편 등을 고려해 계획을 세워 다녀왔다. 먹고 마시고 둘러보면서 즐거웠고 해외를 나간 거니 그것도 여행이라고 생각했다. 그런데 라오스에 와서 살면서 이곳의 문화, 사람들에 대해 생각하고 질문하면서 여행이 무엇인지 깨닫고 나니 그것들은 관광이었다는 것을 알게 되었다.

멋모르고 떠났지만, 끊임없이 질문을 던지던 유럽 배낭여행은 '여행'이었고, 그저 맛집을 찾고, 유명한 곳을 가서 사진 찍었던 것은 '관광'이었다는 사실을 깨달았다.

'여행'은 여행지의 문화와 역사 안에서 배우고 경험해서 내가 변화되기 위해 가는 것이고, '관광'은 나를 변화시킬 생각 없이 좋은 것을 보고, 먹고, 즐기고 오는 것으로 생각한다.

물론 어느 때는 관광으로 충분할 때가 있다. 하지만 여행하려다가 관광만 하고 가지 않았으면 좋겠다. 부끄러운 내 경험을 이야기해 보자면 라오스에 봉사하러 들어온 지 얼마 안 되어 친구가 방문했는데, 그전에 우린 방비엥이랑 라오스 남부를 같이 돌아본 적이 있어서 라오스에선 루앙프라방만 가기로 했다.

루앙프라방을 방문하고, 치앙마이로 넘어가 방콕을 돌아 라오스 수도 비엔티안으로 돌아오는 일정을 짰다. 치앙마이에 딱히 관심이 없었지만, 루앙프라방에서 비행기로 바로 건너갈 수 있고, 한참 인기 많던 곳이라 별 계획 없이 동선에 넣었다.

치앙마이의 첫 아침에 친구가 오늘 뭐 하냐고 물었을 때 부랴부랴 블로그를 찾아보고 나는 치앙마이가 마흔 살 남자 둘이 여행하기에 어울리지 않는다는 걸 알았다. 그래도 분위기 좋은 카페라도 가보려고 블로그에 소개된 곳을 찾아갔는데 네 명 정도 들어갈 아주 작은 카페 안과 밖 모두 한국인들만 있었다.

거기다 모두 연인들이어서 친구와 난 한숨을 쉬고 다음 목적지로 이동했다. 그때 왜 내가 가던 곳에 항상 한국 사람들이 많았는지 깨달았다. 나는 경험하고 배울 곳이 아니라 편하게 즐길 만한 (한국인 취향으로 검증된) 곳을 찾았기 때문이다.

※ 나는 2019년 6월, 보다 의미 있는 일을 하고 싶어 마흔에 2년 (건축 1년, 초기 운영 1년) 정도 자원봉사 활동하러 라오스에 갔다. 수도 비엔티안에 설립하는 유치원과 초등학교 건축의 실내디자인을 도왔는데 코로나로 인해 예상보다 한참 더 걸려 완공했다.

2022년 9월에 개교한 후부터 디자인, 홍보 등 학교 운영을 도왔다. 그러던 중에 비엔티안에서 국제협력개발 일을 하는 또래 한국 친구를 만나서 100일 만에 결혼하고 라오스에서 5년째 살고 있다.

관광 말고 여행

진짜 여행은 실패가 없다.

관광은 최상의 것을 보고, 먹고, 경험해야 좋은 관광으로 기억된다. 하지만 여행은 계획대로 되지 않아도, 기대한 것과 달라도 여행자의 태도에 따라 좋은 여행, 평생에 남을 여행이 될 수 있다. 그래서 나는 관광이 아니라 여행을 권한다.

실패하는 관광은 있어도 실패하는 여행은 없다고 생각하기 때문이다. 이제 여행자의 자세로 떠난다면 어떤 여행지라도 배울 것이 있다. 예상치 못한 사건도 재미있을 수 있고, 여행을 방해하는 날씨에도 얻어가는 게 있을 것이다. 이제껏 살아온 것과 다른 문화, 역사를 가진 환경 속에서 다른 생각을 하는 사람들에게 예상치 못한 일을 당할 수도 있지만, 여행의 '품'은 그것도 품어낼 수 있을 만큼 넓다.

라오스에 거주하기 전에 네 번 정도 라오스에 방문했는데 그중에 한 번은 한국으로 돌아가는 비행기 출발 시각보다 4시간이나 늦게 비엔티안에 도착해 비행기를 놓친 적이 있다. 차로 세 시간 거리의 태국 인근 도시에서 오후 2시에 비엔티안으로 출발했다. 밤 11시 비행기를 타기엔 넉넉한 시간이었다.

하지만 잘못된 내비게이션과 금방 큰 길이 나온다는 라오스 사람들의 안내 덕에 3시간 정도 거리를 12시간 넘게 걸려 다음 날 새벽에 도착했다. 일정은 엉망진창이 되었지만, 밤이 늦어 영업이 끝난 배에 웃돈을 얹어주고 차를 실어 강을 건너면서 생애 가장 화려한 은하수를 보았고, 12시간을 고생하면서 같이 차로 이동한 사람들과는 평생에 남는 추억을 남겼다.

그 고생도, 비행기 표 변경 수수료도 다 계획에 없던 것이지만 예상치 못한 것 모두 여행으로 받아들이니 추억이 되었고 그래서 실패가 아니고 그 나름 성공한 여행이 되었다.

여행의 인문학은 질문에서 시작한다.

여행하면 가장 먼저 다른 것들이 먼저 보인다. 익숙하지 않은 것들이 낯설지만 거기에서 새로운 눈을 갖게 된다. 낯선 것을 통해서 나를 다시 살펴볼 수 있게 된다. 좋은 것도 나쁜 것도 눈에 보이기 시작하면 질문하게 되고 변화를 시작할 수 있다. 내가 여행과 해외 생활을 통해서 깨달은 것은 여행지에선 당연하지 않은 것들이 많아 질문하게 된다는 것이다. 질문하면서 우리는 다름을 이해하고, 나와 우리를 분명히 깨닫게 되는 것이다.

질문한다고 바로 답을 얻을 순 없지만, 질문하면서 다르게 보기 시작하면 달라지기 시작한다. 우리는 살아온 인생만큼 각자의 삶에는 자기만의 경험과 지식으로 이뤄진 그 답대로 살기 때문에 일상에서는 질문도, 다른 답도 생각하기 어렵다. 하지만 여행은 우리에게 질문과 다른 답을 고민하게 한다.

특별한 것 없는 라오스에도 질문들이 떠오른다.

바로 강 건너편에 다른 나라가 있고 거기에 자기 나라 사람들이었던 사람이 더 많이 살고 있다면 어떨까?

분단으로 인해 마치 섬나라의 삶을 살아가는 우리 한국인들은 평소에 할 수 없는 질문이다. 수도 비엔티안 왼쪽에 흐르는 메콩강 너머에 는 라오스 땅이었던 태국 이산 지역이다.

수도 중심부에서 맞은편 태국 도시 농카이까지 차로 30분(출입국 신 고하는 시간은 제외)이면 건너갈 수 있을 만큼 가까운 나라다. 라오스 대부분 물건, 과일, 농산물마저도 태국을 통해 온다고 말할 정도로 아 주 가까운 나라다. 19세기 말 태국이 프랑스에 라오스 통치권을 넘길 때 메콩강 건너편 땅인 이산지역은 태국 국토로 남겨두었다.

태국의 30%가 넘는 땅과 인구를 가졌지만, 이 지역에 사는 사람들 은 오랫동안 태국 국민으로 제대로 인정받지 못했다. 더욱이 라오스의 프랑스로부터 독립 이후, 미국 전쟁 이후, 공산화 이후, 많은 라오스 사람이 이산지역으로 계속 유입되었다. 지금도 태국의 인건비가 높기 일하러 이산지역에 사는 친척의 집에 넘어가다 보니 2천만 명이 넘는 라오스 연고의 사람이 태국에 살고 있다.

라오스 땅에 732만이 사는데 건너편 나라에 세 배 가까이 사는 독 특한 구조이다. 두 나라의 언어는 70% 정도가 비슷하여 라오스 사람 들은 뉴스를 제외한 방송, 음악 등 태국 미디어를 통해 문화를 누린 다. 라오스 사람들은 거의 다 태국 말을 이해한다. 이렇게 가까운 나 라임에도 태국은 이산지역과 라오스를 계속 무시해 왔기 때문에 라오 스 사람에게 태국은 애증의 관계이고 정말 가깝지만 먼 나라이다.

50년을 지배했던 나라와 친구처럼 지낼 수 있을까?

과거 오랫동안 프랑스의 지배를 받았지만, 라오스 사람들은 프랑스를 싫어하지 않는 것 같다. 36년 식민 지배를 받았고 지금의 한일 관계에 익숙한 한국 사람으로서 생각지도 못할 이 질문에 대해 답해보자면 첫째 베트남과 비교하면 가져갈 것이 없었던 라오스 지배에 큰 노력을 하지 않았다는 것, 둘째 식민 지배 시대의 기억은 두 세대 전이고 이후 프랑스의 지원 등으로 좋은 기억을 갖게 되었다는 것, 셋째 미국이라는 아직도 기억에 생생한 적으로 인해 과거는 덮였을 것이라 보인다. 프랑스의 노력으로 관계도 바뀌었던 것처럼 일본의 진심 어린 사죄와 관계 개선을 위한 진정한 노력이 있다면 우리에게도 그런 날이 올 수 있을지 모르겠다.

이 작은 나라가 미국과 싸웠다 이겼다고?

라오스를 방문하는 외국인은 라오스가 베트남 전쟁 시기에 미국과 싸운 나라라는 사실을 대부분 모른다. 그래서 라오스 정서 안에 있는 반미 정서에 대한 이해 없이 행동하게 된다. 착하게 웃는 라오스 사람들의 상처를 외국인이 알 리가 없다. 우리가 미국의 관점에서 세계 정세를 바라보고 있기에 우리의 전제를 달리해서 보아야 한다. 물론 지금 라오스와 미국은 어제의 적이었던 시절을 잊고 오늘날에는 친구가 되길 바라고 있다.

골목마다 사원(절)이 있던데 라오스인에게 불교는 어떤 의미일까?

소승불교는 라오스를 지탱하는 가장 큰 기둥이라고 할 수 있다. 몇 블록만 가면 사원이 나오고, 곳곳에서 주황색 승복을 걸친 승려들을 만나게 된다. 탁발은 루앙프라방 필수 코스일 정도로 라오스 대표 이미지일 것이다.

불교는 나라의 독립운동을 함께한 국가 종교이고, 가난한 국가가 돕지 못하는 영역을 돕는 시스템이다. 한 예로 동자승 문화가 있다. 라오스 남자는 성인이 되기 전에 잠깐이라도 동자승이 되는데, 가난한 집의 아이들은 절에서 자라면서 계속 공부할 기회를 얻는다. 공부를 마친 동자승은 대학 졸업할 때쯤 계속 승려로 남을지 사회로 돌아갈지 선택할 수 있다. 이처럼 불교는 사회의 부족한 부분을 채우고 있으니 라오스 사람에게 불교는 어머니와 같지 않을까?

질문을 통해 새로운 관점을 만나는 것으로 나는 변화된다.

여행자의 자세로 라오스에서 며칠 머무르면 생길만한 질문에 답을 해보았다. 한국을 떠나니 특별한 거 없어 보이는 라오스에서도 질문이 쏟아져 나온다. 단순한 질문이라도 일단 시작하면 더 나은 질문이 나오게 된다. 방금 그 단순한 질문에도 한국적 사고로 생각하는 나를 바라보게 된다. 또 내게 새겨진 세계관과 사고체계를 알게 되고 그동안 인지하지 못했던 나를 만나게 된다.

그리고 조금씩 다르게 볼 수 있기 시작한다. 그러다가 지금 눈에 보이는 것 너머로 쓸만한 질문하게 된다. 그 질문에 대한 답을 여행 중에 가져갈 수 없더라도 이미 변화는 시작되었고 여행 오기 전 나와 다른 내가 된다. 여행이 아니더라도 질문하고 새로운 변화를 얻을 수 있다. 하지만 여행처럼 쉽게 이 과정을 밟게 해줄 것이 있을까?

이제는 여행작가

나는 모두가 진짜 여행을 하길 바란다.

한국의 겨울인 11월 중순부터 2월까지는 한국 관광객이 라오스에 넘쳐난다. 비가 오지 않고 초가을 정도 날씨라서 라오스 여행하기 딱 좋은 기간이기 때문이다. 한국과 라오스를 오가는 직항이 하루에 7~8 대나 있다. 라오스에 계속 머물다 보니 찾아오는 지인이나 손님들이 많은데 그분들에게 그동안 깨달은 라오스와 라오스를 통해 얻은 통찰을 소개하다 보니 어느새 여행작가, 강연자, 지식 가이드로서 인생 2막을 시작하게 되었다.

지금 살면서 사랑하고 있는 라오스의 매력을 잘 전하고 싶기도 하고 찾아오는 사람들이 제대로 된 여행을 할 수 있도록 돕고 싶다는 생각이 들었기 때문이다.

진짜 여행을 위해선 많은 공부가 필요하고, 그걸 통해서 내가 평소에 알던 곳과 다른 '여행지'를 이해할 수 있다. '아는 만큼 보인다'라고 유럽을 가는 사람들은 여행지에 대해 많이 공부하고 간다. 이미 많은 정보가 쌓여있으니 준비하기 쉽다.

그것도 부족해서 요즘은 지식 가이드의 도움을 받아 그곳에 대한 더 많은 것을 알고 이해하려고 노력한다. 그렇게 해서 여행 전과는 다르게 변해서 돌아오기도 하고 그렇지 못하더라도 유럽의 어느 나라를 마음에 품고 오곤 한다.

여행지보다 여행자의 마음이 더 중요하다.

유럽과 달리 동남아를 오면서 그렇게 공부하면서 오는 사람들이 얼마나 될까? 유럽과 우리나라처럼 오랜 역사와 문화를 가지고 있지 않고, 국제 사회에서 그 위상이 높지 않기 때문에 이곳에선 별로 배울 것이 없을까? 좋은 자세로 질문할 수 있다면 배울 게 없는 곳은 없다.

이들의 여유, 우리는 이미 잊어버린 정(情), 일과 돈이 아니라 가족과 관계를 우선 순위를 두는 삶 등 이곳에서 질문하면서 깨달을 수 있는 것들이 많다. 그리고 여행지에서 살아가는 이들에 대해 존중할 때 방문자인 우리는 더 많은 것을 얻고 즐길 수 있다고 생각한다.

인생을 바꾸는 여행을 계속하길 원한다.

나는 국제개발협력 일을 하는 아내와 함께 살면서 언젠가는 라오스를 떠나 다른 나라에서 살게 될 것이다. 어느 나라로 언제 떠날지 모르지만, 그전까지 여행자로서 라오스에서 배울 수 있는 것을 충분히 배우고 깨달아갈 것이다.

그것이 나에게, 나를 만날 여행자들에게, 그리고 내 나라 대한민국의 누군가에게 말로, 글로 전달되어 지금보다 훨씬 나와 우리를 만들어갈 것이라 믿는다. 그리고 다음 나라에서도 지금 여행에서 배운 것처럼 생각하고 배워가면서 내 것으로 만들고 싶다. 그렇게 그곳을 알고 나를 알아 변해가길 소망한다.

"인생의 어느 시기에는 다 각자가 자기 인생의
예언자가 되는 시기가 있다."
〈소설가 김영하〉

미래로교육연구소 대표
대학교, 각 지자체 강사
시니어비지니스연구소 대표강사
국제치매예방협회 지부장, 연구원
한국출판지도사협회 부회장, 작가
도서출판 한국지식문화원 대표강사
출판지도사, 책쓰기 코치
웰니스 새독모 독서방 코치
여가부, 노동부산하 직업훈련강사
인문학, 치매예방, 노인인식개선, 소통·화합,
감정코칭, 생명존중 강사
농어촌활성화사업, 각 단체
연합회 등 교육 1,000회 이상

010-7680-0090

 박우연 프로필
geniikicho@daum.net

존엄한 나이 듦!
노인의 존재를 말하다.

나는 '실버 인문학' 강사다!

행복의 비결은 자기가 하고 싶은 일을 하는 것이 아니라 자기가
해야 할 일을 좋아하는 것이다
-프랜시스 베이컨-

나는 미래로교육연구소 대표로서 강의하고 싶은 사람들을 교육하고
양성해서 원하는 곳에 파견하는 교육 사업을 하고 있고, 나 역시 여

러 기관과 각 단체에서 다양한 강의를 하고 있다.

전국을 다니며 직업훈련 교육을 하여 그분들이 일자리를 찾아가도록 지식을 전하고, 노인들의 인식개선, 치매 예방을 비롯한 노인 통합교육, 감정 인문학, 부부와 세대 간 소통 인문학, 이해와 소통을 부르는 DISC, 생명 존중, 출판지도사 등 다양한 교육을 하는 강의쟁이이다. '삶을 변화시키는 작지만 위대한 글쓰기' '인문학 강좌' 공저자 작가이기도 하다.

이 중 하나라도 나에게 중요하지 않은 강의는 없지만 가장 애착이 가는 분야가 있다. 바로 사람에 대한 관심이다. 나는 인간의 본성과 인간의 삶, 사고 또는 인간다움 등 인간의 근원 문제에 대한 복잡한 면을 알고 싶기 때문이다.

특히, 나는 젊은 나이부터 노인에 대한 각별한 사랑과 관심이 있어 '나이 듦과 함께 인간의 본질과 삶의 의미를 탐구'하는 실버 인문학을 사랑하며 맛깔 나는 강의를 위해 노력하고 있다.

여기에 빠져드는 이유는 노년층이 삶의 마지막 단계를 좀 더 존엄하게 맞이할 수 있도록 돕고 싶기 때문이다. 그래서 주저 없이 '실버 인문학' 강사라고 말한다.

그렇다고 내가 대단한 인문학적 고수도 아니다. 나는 약자를 보듬고 함께 더불어 살아가는 세상을 꿈꾸며 사회복지학 석사를 취득했고, 경영학사 학위를 가지고 있을 뿐이다.

나의 강의 철학은 "강사는 단순한 지식 전달자가 아닌, 청중이 스스로 생각하고 깨달아서 성장하고 변화할 수 있도록 돕는 확실한 안내자가 되어야 하는 것"이라 생각한다. 아무런 울림없이 시간만 때우는 강의는 허락하지 않는다.

강의가 좋아 강의를 시작한 후 무던히도 애를 썼다. 프리랜서 강사는 누가 가만히 있으면 오라고 하지 않는다. 각 분야 영역을 개척하기 위해 투자와 노력을 아끼지 않았고, 강사를 시작한 후 쉼 없이 공부하고 있다. 어영부영한 강사 짓도 싫으며, 변화에 부응하지 못하면 도태된다는 것을 알기 때문이다.

'존엄한 나이 듦, 노인의 존재를 말하다'라는 강의는 단순한 노년의 문제만 이야기하는 것이 아니다. 노인 '문제'가 아니라 노인 '존재'를 이야기하는 인문학 강의다. 이는 노년을 더 긍정적이고 의미 있게 살아갈 수 있도록 돕는 데 초점을 맞추고 있다. 노년이란 단순히 나이가 들어가는 과정이 아닌, 삶의 또 다른 중요한 단계임을 설명하고, 노년의 경험과 지혜가 얼마나 중요한지, 이를 통해 사회에 기여할 방법을 제시한다.

또 노년의 존재론적 의미를 강조한다. 노년의 존재 자체가 가지는 가치에 대해 논의하고, 노년은 더 이상 생산적이지 않다는 편견을 넘어 존재 자체로서의 의미를 강조한다. "누구나 노인이 될 수 있지만 아무나 노인이 될 수는 없다."라고 하지 않았던가.

노인에 대한 어떤 인문학 강의라도 자신이 있다. '지식으로 무장하고 이해와 공감을 통한 소통이면 가능하다.'라는 신념으로 나는 오늘도 노인의 삶의 질 향상을 위해, 실버 인문학 강사로서 자부심을 가지고 뛰고 있다.

'존엄한 나이 듦!'으로 떠나는 인문학 여행

　가르치는 강의가 아닌 놀아주는 강의 비법, 지루하고 공부 같은 강의는 이제 그만! 나이 듦의 성숙함을 이해하고 더 나은 노년을 위해 떠나는 인문학 여행이다.

어느 날 노인이 되어버린 사람들!

실버, 욜드족, 100세 시대, 회색 쇼크, 인생 2막 등 전체 인구 중 노인이 차지하는 비율이 20% 이상을 넘어 초 고령 사회를 눈앞에 두고 있는 현실은 부인할 수 없는 추세이다.

노년의 의미와 가치를 부각하여 노년이란 단순히 나이가 들어가는 과정이 아닌 삶의 또 다른 단계임을 알 수 있도록 풀어간다. 노년의 경험과 지혜가 얼마나 중요한지, 자부심과 긍지를 가지고 사회에 기여할 수 있는 방법을 제시한다.

사람의 욕구, 감정, 관계에 대한 이해를 통해 더 나은 삶의 질을 추구하는 방법도 제시하며, 인간 사회의 복잡성과 다양한 문제들을 이해하고, 이를 통해 노년층이 더 잘 적응하고 기여 할 수 있는 강의로 진행한다.

세상은 노인에게 조언이 아닌 협박을 하고 있지 않는지 의심이 간다. 노후 자금은 얼마, 연금, 보험 등은 얼마가 있어야 살아남는다고 말하고 있다. 또, 현재 우리가 살아가고 있는 자본주의 사회는 '청춘'도 강요하고 있다. 조언 아닌 협박과 청춘으로부터 해방되고, 또 다른 강요인 외형과 몸에 대한 집착에서 벗어나 늙음의 미학을 인정하고 이런 것에서부터 자유로워져 진정한 '어른'으로서 당당하게 사회와 함께 늙어갈 용기를 주는 강의이다.

호기심을 가지고 삶을 긍정으로 바라보게 하고, 보람과 생존의 의지를 드리며, 나아가 나이 듦의 쇠락을 극복하는 열쇠를 제공하여 노년의 기적을 만들 수 있는 강의를 선사한다.

강의를 듣고 난 후 노인들이 자신의 삶을 돌아보고, 자기 정체성을 재확립하며 노인들에게 사회와의 관계를 재평가할 기회를 제공하며, 인간의 본성과 심리를 탐구하여 이를 노년층의 삶에 적용하는 방식을 가르쳐 살아남게 하는 이야기까지! 토론하며 함께 진행해 가는 참여형 수업으로 이끈다.

아이스브레이킹, 레크, 치매예방, 율동, 스트레스 타파 등 지루할 사이 없이 노인 전문 강사의 흥미롭고 재미있는 강의가 이어진다. 각 대학교, 지자체, 여가부, 노동부 산하 기관, 복지관, 어르신이 계시는 곳은 어디든지 최적화된 인문학 강의다.

강의를 마칠 즈음이면 어르신들의 입에서 "속 시원한 강의였다." "힘이 난다." "자신감이 생긴다."라는 말씀과 함께 불러주신 강의 담당자님의 칭찬이 있는 남다른 강의라고 자부한다.

'존엄한 나이 듦! 노인의 존재를 말하다' 강의 커리큘럼의 예시는 아래와 같다.

*노인의 의미와 가치

　-새로운 삶의 단계로 인식

-경험과 지혜의 가치 창조

.그룹토론

*노년의 존재론적 의미란?

1. 문제가 아닌 존재 가치에 대한 접근

-노년의 존재 자체가 가지는 의미 탐구

-사회적 편견을 넘어서는 노년의 가치

2. 삶의 회고와 성찰

-삶을 돌아보고 성찰하는 시간의 중요성

-성찰을 통해 새로운 의미 찾기

3. 활동

*지혜로운 노년을 위해

1, 자아실현

-꿈과 목표를 추구하는 방법-성공 사례

2. 사회적 연결은?- 연결 강화법

3. 무너지면 불행해지는 건강관리?

-건강을 위한 구체적 방법 제시

4. 활동

*노년의 지혜와 사회적 역할 알기

1. 멘토링과 봉사활동

-자신의 경험과 지혜를 어떻게 나눌까?

-각종 커뮤니티에 참여법

2. 성공적 사례-사회에 기여하는 노인들

3. 활동

참여형 강의를 통한 상호작용으로 서로를 이해할 수 있게 되고, 노년의 존재와 가치를 숙지하여, 청중들이 자신만의 노년을 지혜롭게 살아갈 방법을 모색할 수 있다.

나는 강의를 즐기는 강의쟁이이다!

"행복의 비결은 자기가 하고 싶은 일을 하는 것이 아니라 자기가 해야 할 일을 좋아하는 것이다."라고 프랜시스 베이컨이 말했다. 나 역시 내가 해야 할 일인 강의를 즐기는 강의쟁이여서 행복하다.

명품강의란 어떤 강의를 말할까요?

청중에게 단순히 정보와 지식을 전달 하는 것을 넘어 깊은 이해와 감동을 줄 수 있는 강의라고 생각한다. 명확한 목표와 체계적이고 논리적인 구조로 강사는 전문성을 갖고 청중에게 새로운 통찰력을 제공하고, 사고의 틀을 부수고 목표를 향해 변화, 성장하게 이끌어야 한다. 이는 열정과 창의성을 발휘하여 청중들의 흥미와 관심을 끌어낼 때 가능하다고 본다.

실버 인문학 강의는 따분한 인문학의 틀을 벗어나 재미나는 구성으로 풀어나간다. 회기마다 생동감 있는 참여형 활동으로 강의 현장을 살아 숨 쉬게 한다. 어르신들의 꺼져가는 호기심을 자극하여 집중력과 참여도를 높이고, 자연스럽게 서로 간의 벽을 허물어 강력한 유대감을 형성시킨다.

화려한 옷을 입고 재미있는 말을 하는 것도 중요하지만 가장 중요한 것은 진심 어린 감동이 전달되어야 한다. 박우연 강사는 실패와 도전, 그리고 그 결과로 이루어진 성공의 이야기, 오랜 삶에서 배운 소중한 경험으로 어르신들과 공감하며 교감한다.

존엄한 나이 듦! 고령화 문제를 은퇴한 노인의 복지 문제 정도로 생각하면 오산이다. 노인 문제가 아닌 '노인 존재'를 말하는 인문학 강의다.

1,000회 기가 넘는 강의 횟수와 다양한 콘텐츠로 세상을 밝히고 있다. '강사는 강의를 하는 만큼 발전하고 성장' 한다고 했다. 나 역

시 체험으로 공감하는 말이다. 살아있는 현장경험과 노하우로 대상자가 쉽게 이해할 수 있는 간결한 강의 스타일, 교육 시간이 지루하지 않게 집중시키는 열정, 강의 만족도가 높은 강의를 만들어 내고 있다.

'강사가 진심을 담은 열정이 있어야 대상자가 변한다'라는 철학으로 강의를 디자인하고 대상자를 변화로 디자인하는 강의에 진심인 강의쟁이 박우연 강사와 함께 하면 어떨까요? 새로운 교육 여정의 장에서 만나 뵙길 바란다.

"행복의 비결은 자기가 하고 싶은 일을 하는 것이
아니라 자기가 해야 할 일을 좋아하는 것이다."
〈프랜시스 베이컨〉

도서출판 한국지식문화원 대표강사
한국지식문화원 출판지도사협회 부회장
한국작가협회 임원 및 지부장
KCN뉴스 기자, 취재부장
행복한책쓰기코치
독서심리상담사
독서모임운영지도사
독서라이프연구소장
고전소통인문학 강사

010-3630-4916

소은순 프로필
gold2187@naver.com

고전문학 <달과 6펜스>
에서 보는 소통인문학

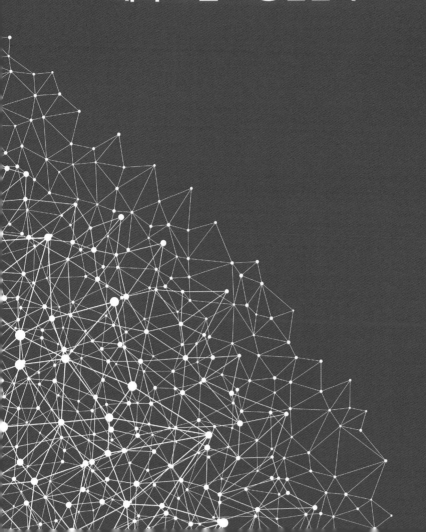

고갱과 반 고흐의 관계에서 보는

소통인문학

소통은 우리의 차이를 이해하고
우리의 연관성을 발견하는 과정이다.
-디플로-

우리의 삶은 책을 통해 두 가지 다른 방향으로 변화한다. 독서를 통해 자신의 인생은 진화한다. 집필을 통해 나와 타인의 인생을 진화시킨다.

인간은 소통으로 시작해서 소통으로 끝난다. 어떻게 소통하며 성장했는가에 따라 성격 형성에 적잖은 영향을 미친다. 소통은 '나와 다른 타인과 함께하며 어떻게 잘 살 것인가'이다. '나와 다른 타인에게 어떻게 반응할 것인가'이다. 고전 〈달과 6펜스〉는 독특한 전형적인 인간상을 가진 인물들이 예술계에서 살아가며 보여주는 흥미진진한 사건들로 구성되어 있다.

고갱의 삶을 모티브로 쓰여진 소설이다. 고갱은 반 고흐와 떼서 독립적으로 생각하기 어렵다. 고갱과 반 고흐와의 관계에서 단 3개월의 함께한 시간 동안 그들의 부조화와 갈등과 파국을 소통이라는 관점에서 생각해 볼 것이다.

예술가의 남다른 면을 일반적인 사람의 시각으로 보면 '예술인이니까 그렇다.'라고 넘어갈 수 있을 것이다. 하지만 그들의 성격이 예술가가 되도록 남다른 예민한 정신세계를 만들었을 수도 있다. 그래서 고갱과 반 고흐 그리고 〈달과 6펜스〉에 나오는 인물들을 통해서 그들의 성격 형성에 대한 본질적인 문제를 제기해볼 것이며 이 강의는 자신을 성찰해 보는 시간이 될 것이다.

나는 직장에서 예보관으로 있었던 분들과 함께 일했는데 기단에 대해 배운 적이 있다. 힘의 불균형이 균형이 잡히는 과정에 의해 날씨의 변동이 발생하는 원리를 기단의 성격 차이를 통해서 해석해주는 설명을 재미있게 들었다. 이처럼 타인과의 소통은 심적 불균형에서 균형을 잡는 일이다.

직장생활을 하며 책을 쓸 수 있다고는 생각하지 못했다. 하지만 어찌 된 일인지 나의 욕구는 사람들의 인생 스토리에 관심이 많았다. 그리고 책을 출판하게 되었다. 그것은 소통을 위한 고찰이 되었고 소통은 모든 사람에게 중요한 것이었다. 가정에서의 소통, 학교에서의 소통, 직장에서 소통, 사람이 있는 곳에는 모두 소통이 있고 소통의 문제로 안정과 평안, 좋은 성과와 기대가 예기된다.

다양한 작가들과 또는 독서 모임 리더들과 함께하며 책을 읽었다. 처음에는 자기계발서를 주로 읽었지만, 나의 원래의 관심은 심리학적인 마음공부와 인문학 독서를 통한 사람에 대한 통찰에 있었다.

인간의 원활한 사회화와 성격과 소통의 시작은 영아부터라고 생각한다. 영아가 정서적 안정을 제공하는 부모와 유대감을 형성하는 애착 이론은 최초의 인간관계에 대한 이론이다. 아동이 부모나 주요 대상과의 반복적인 상호관계에서 대인관계의 패턴이 만들어진다. 이 패턴은 성인이 된 후에도 다른 사람과의 관계에서 계속 반복되는 경향이 있다.

가톨릭대학교 권용실 교수는 한 인터넷 신문에서 소통에 대한 위키 백과의 정의 "사람의 의사나 감정의 소통으로 가지고 있는 생각이나 뜻이 서로 통함. 인간이 사회생활을 하기 위해서 가장 필수적으로 가지고 있어야 하는 능력.으로 소개한다. 그리고 의사소통이 무엇인가를 이해하기 위해서는 먼저 그것의 속성을 파악하는 것이 필요하다고 말하며 경영학자 피터 드러커의 의사소통에 대한 네 가지 속성에 관해 이야기한다. "첫째, 의사소통은 지각이다. 둘째, 의사소통은 기대다. 셋째, 의사소통은 요구한다. 넷째, 의사소통은 '정보'와는 다르다."

하지만 소통이 무엇인지 논리적으로 안다고 해서 소통을 잘할 수 있는 것은 아니다. 소통은 감정적이고 즉흥적으로 이루어지기 쉽기 때문이다. 그것은 개인의 소통이 성격 형성과 관련이 깊고 어떻게 소통하는 가는 성장 과정에서 만들어진 것이기 때문이다.

그래서 가정에서 부모와의 소통이 자녀에게 가장 중요한 문제가 된다. 어떻게 소통했느냐에 따라서 경험한 소통지수를 가지고 타인과 다시 소통하게 된다. 고갱과 반 고흐 사이의 소통은 매우 일방적이었으며 동상이몽이었다. 그런데도 반 고흐가 될 수 있었던 것은 고갱의 영향이 컸다고 평가되고 있다. 실제로 그 3개월 동안 가장 왕성한 활동을 했다고 알려져 있다. 이는 불통의 관계 고통이 있었음에도 그것이 자신의 완성을 위한 것이 될 수 있다는 새로운 시각을 가지게 해 준다.

서머싯 몸의 〈달과 6펜스〉에서 보는 소통인문학

   1) 고전문학은 현대 사회에서 살아가는 데 있어서 필요한 인간 본성에 대한 깊은 통찰을 담고 있다. (역사적 가치, 언어의 표현적 발전적 가치, 주제의 보편성, 이해와 사고력의 향상, 영감의 원천)

   2) 고전문학의 현대적 해석에 있어서 역사적 배경에 대한 이해와 문화적 맥락 속에서 해석하는 것이 필요하고 시대 상황과 문화 차이를 넘는 메시지를 깨닫고 전달해야 한다.

3) 고전문학의 핵심적 요소는 보편적 주제와 복잡하고 다면적인 인물들의 동기와 성격, 구성, 문체, 상징과 은유 등으로 다양한 해석의 가능성이다.

4) 고전문학의 인물들은 다층적인 성격을 지니면서 스토리의 진행에 따라 변화할 만한 내적 외적 갈등국면을 겪는다. 그래서 도덕적 딜레마에 직면한다. 비극적인 스토리를 담으면서 파멸적 결말로 인간의 한계를 보여줌으로써 인간에 대한 질문을 던지게 한다.

5) 고전문학은 역설과 모순이 중요한 서사가 된다.

6) 작가의 시대적 배경, 인생 스토리를 통해 성격적 특성을 파악하고, 작가가 가지고 있는 메시지를 가늠해 본다. (서머싯 몸의 전기적 내용)

7) 〈달과 6펜스〉의 모티브 고갱의 삶을 들여다본다.

8) 고갱과 뗄 수 없는 관계 반 고흐와의 관계에서 3개월의 파국을 소통적 관점으로 해석해 본다.

9) 〈달과 6펜스〉의 주인공 스트릭 랜드는 왜 행복한 가정의 모든 것을 갖추었음에도 홀연히 가출했는가? 단지 그림을 그려야 하기 때문이라는 그의 이유에 어떻게 공감할 수 있는가?

10) 병들어 죽을지도 모르는 자신을 돌봐 살려준 더크 스트로브의 아내와 눈이 맞은 다음 그녀를 버려 그녀를 자살하게 한 사람으로서 "어리석고 제대로 균형이 잡히지 않은 인간이라 그랬지"라고 말하는 스트릭 랜드의 이런 냉소적인 태도의 이유는 무엇인가?

11) 그런 스트릭 랜드를 아내 블란치가 자살한 후에도 후원해 주려 했던 더크 스트로브의 행동에 대하여 어떻게 생각하는가? 더크 스트로브는 왜 이런 관계의 굴레에 빠져있는가?

12) 더크 스트로브의 아내 블란치는 왜 반복적으로 관능적 유혹에 몸을 던지며 파국으로 치닫는가?

13) 고갱과 고흐가 동상이몽이 아니라 동상동몽이었다면 어떤 결과를 만들었을까?

14) 고갱과 고흐의 목적과 성격적 문화적 차이에서 나타난 불통의 결말.

15) 다름을 오해하지 않고 이해하는 소통

〈출처: 지식백과 제공 이미지〉

스트릭 랜드와 등장인물 간의 소통

– 예술이란 무엇인가?

칼테콧 아너상을 네 번 수상한 세계적인 그림책 대가 레오 리오니의 동화 프레드릭은 예술인의 삶에 대한 질문을 던지게 하는 생쥐 가족의 이야기이다. 생쥐 가족은 열심히 겨울 양식을 모으지만 프레드릭만은 햇살과 색깔과 이야기를 모은다고 한다. 그래서 다른 곳을 보고 있거나 눈을 감고 상상하고 있다. 예술인의 특성이 있는 사람의 가치는 현재의 생산적 가치를 위해 일을 하는 것과는 또 다른 필요를 채우는 사람이다. 한겨울 자신이 모은 양식인 이야기를 풀어내고 햇빛과 색깔을 상상하게 함으로써 생쥐 가족들에게 즐거움과 따뜻함을 준다.

그러나 현실에서는 같은 방향으로 가지 않고 혼자만 다른 곳을 향하고 있는 사람에 대해서 응원과 수용만 있는 것은 아니다. 프레드릭은 정서적 양식, 정신적 양식을 모았다고 해석할 수 있다. 하지만 이런 사람들을 어떻게 수용할 수 있는가?

예술적 성향을 지닌 사람은 사회와 일반적인 소통에서 동떨어진 감정을 가지고 살아가는 성향의 사람이다. 스트릭 랜드 또한 행복한 가정을 구축했지만, 홀연히 가정을 버리고 떠난다. 그리고 이렇게 말한다. "나는 그림을 그려야 한다지 않소. 그리지 않고는 못 배기겠단 말이오. 물에 빠진 사람에게 헤엄을 잘 치고 못 치고가 문제겠소? 우선 헤어나오는 게 중요하지. 그렇지 않으면 빠져 죽어요."라고 말한다.

고전문학은 이해 할 수 없는 것을 이해할 수 있도록 질문을 던지지만, 정답을 주는 것이 아니라, 현대에도 필요한 통찰을 주며 해석을 하게 한다. 스트릭 랜드는 다른 예술가들과도 교류하지만, 소통은 단절되거나 갈등을 일으키는 모습을 보여준다. 독창적 예술가의 고독한 삶이다. 그러나 이러한 일면은 우리 모두에게 있다. 나의 소통에 대한 질문을 던지는 인문학적 접근은 먼저 자신에 대한 통찰로 이끈다.

작가는 자신의 삶을 작품에 투영하기 마련이다. 마찬가지로 나의 인생의 역사적 맥락을 파헤쳐 보며 나의 관계 패턴을 발견할 수 있다. 타인을 이해할 때 그러한 맥락에서 본다면 어떤 사람도 이해할 수 있는 포괄적 수용적 이해력이 생길 것이다.

고흐는 의자를 많이 그렸는데 고갱의 도시적 의자에는 앞으로 함께 빚어갈 희망의 촛불이 보인다. 이것은 고흐의 다짐이나 바람이었을 것으로 본다. 반면 반 고흐의 프롤레타리아적 의자 위에는 그가 좋아하는 파이프 담배가 놓여있다. 고흐에게 고갱은 프롤레타리아의 표상이었고 경외심이 있었던 것 같다. 고흐는 헌신의 대상이 필요한 사람이었고 고갱은 냉소적이며 이기적이고 계산적이었다.

우리는 이처럼 다름을 지닌 사람들과 함께 살아가고 있다.
산업심리학에서 갈등을 해결하는 기술로 첫째는 당사자들의 직접 대화를 통해 해결하는 것, 둘째는 협상이 실패하고 갈등 중인 당사자들 사이에 의사소통의 끈이 끊어졌을 때 중립적인 제삼자를 통해 갈등을 해결하는 것, 셋째로 당사자들 스스로가 해결책을 찾을 수 있도록 제삼자가 도와준다. 그런데 사람마다 갈등을 해결하는 방법의 유형이 있다. 회피형이다. 나도 지고 너도 지는 방법이다. 경쟁형은 나는 이기고 너는 지는 방법이다. 수용형은 나는 지고 너는 이기는 방법이다. 타협형은 타협적으로 주고받는 방법이다. 통합형은 나도 이기고 너도 이기는 방법이다.

예술인이란 그 예술이 다른 사람들에게 공감적 소통을 불러일으킴으로 예술인이 아닌 사람들의 막힌 소통을 열어줌으로써 즐거움과 감동과 통찰을 불러일으켜 주는 것으로의 가치를 가지고 있어야 한다. 예술인들의 예술성은 결국 통합형의 소통처럼 나도 이기고 너도 이기는 윈윈의 소통이 되어야 한다. 프레드릭이 그것을 잘 표현했다.

"소통은 우리의 차이를 이해하고 우리의 연관성을
발견하는 과정이다."
〈디플로〉

인문학 여행 작가
엘 이레상담교육연구소 대표
한국출판지도사협회 부회장 겸
경남창녕지부장
글쓰기 책쓰기 강사
학교폭력 갈등조정위원 전담조사관
부모 자녀 관계회복전문강사
생명존중전문강사
성폭력 예방교육강사
교육(상담교육)학박사

010-2017-3936

신성자 프로필
196425@hanmail.net

부모-자녀 관계 회복 인문학

자녀 – 창조주가 믿고 맡긴 선물

"다른 사람이 성취한 것을 인정하라. 사람은 누구나 진심으로
인정받기를 원한다. 칭찬을 받으면 기쁨이 솟아나고
가슴 속에 꽃이 피어난다."

-안셀름 그륀 -

"여보세요?" "안녕하십니까? 조사관님, 교육지원청입니다. 또 사안이 올라왔는데 시간이 되실지 여쭈어봅니다" 일주일에 한두 차례는 받는 전화다.

2024년 정부는 학교폭력에 대한 학생과 학부모의 신뢰도를 높이고자 학교폭력 사안 조사를 교사가 아닌 전담 조사관이 맡도록 '학교폭력 전담조사관' 제도를 신설하여, 전국 177개 교육지원청에 총 2,700명의 조사관을 배치했다.

'학교폭력 전담조사관' 제도는 일선 교사들이 학교폭력 처리라는 과중한 업무 부담에서 벗어나 피·가해 학생 간 관계개선 및 회복, 피·가해 학생 지도, 피해 학생 지원 등 본연의 기능인 교육적 역할에 집중할 수 있도록 학교폭력 전담 조사관이 학교폭력 사안 조사를 전적으로 담당하게 하는 제도이다.

본 작가가 있는 관내에도 전직 경찰관 출신 조사관 1명을 비롯하여 3명의 조사관이 활동하고 있고 그중 한 명이 필자다. 그래서 일정에 추가된 강의가 없으면 무조건 1순위로 조사의뢰를 맡는다. 사안에 대한 보수가 일반 교육 강사료에 비교해 턱없이 낮아도 사명감으로 임하고 있다. 전화가 오면 금방 수락하게 된다.

2006년, 아들이 초등학교 4학년이 되던 무렵 학교에서 전화가 왔다. "어머님, 창원 교육 연수원에서 학부모 대상 상담 교육이 있는데 참석해 주시면 안 될까요?" 하는 전화였다. 머뭇거리고 있는데 "꼭 좀 참

여해 주세요" 하는 부탁에 "네, 다녀오겠습니다" 한 것이, 창녕군교육
지원청과의 인연의 시작으로 창녕군청소년상담복지센터, 경남청소년상
담복지센터, 사단법인 이레청소년상담교육센터, 창녕군 다문화가족지원
센터, 부곡정신병원, 창녕군평생교육 등에서 청소년 및 부모상담, 미디
어 과사용 및 중독 예방교육, 자살·자해 예방교육, 성폭력 예방교육,
관계 회복 강의, 학교폭력 예방교육, 부모교육, 결혼이민자 여성·외국
인 근로자 한국어교육 및 양육지도, 문해교육 등을 진행하고 있다.

청소년과 관련한 상담, 교육, 부모교육의 개입 경력이 20년이 넘어
간다. 갈수록 청소년 문제가 심각해지고 있음을 피부로 느낀다. 마음
이 찹찹하다. 요즘 학교폭력 사안은 1:1의 사안이 아닌 다수 대 소수
의 사안이 지배적이어서 학교폭력 전담 조사관으로서 사안 조사를 위
해 학교를 방문하여 관련 학생들을 만나보면 마음이 무거울 때가 많다.

『위기청소년을 둔 부모의 회복탄력성이 부모-자녀 관계 회복에 미치는 영향에 관한 현상학적 연구』로 교육(상담교육)학 박사 학위를 받고 상담, 교육, 강의로 삶의 다양한 숙제를 가진 학생, 부모, 교사들을 만나고 있다. 이름 모를 들판, 혹은 화단에 피어있는 꽃들도 모양과 색상, 향이 서로 다르듯이 우리의 아이들도, 부모들도 외향, 성격, 차림새, 말투, 사고, 지능이 각각 다르다.

그러나 공통적인 것도 있다. 청소년은 아름답다. 희망적이다. 부모는 숭고하다. 희생적이다.

상담을 통해 "선생님이 우리 엄마였으면 좋겠어요" "제가 나중에 사업가 되면 람보르기니를 사 드릴게요" "운전기사가 있는 자가용 사드릴게요" "백화점에서 옷을 10벌 사드릴게요" "정말 유명한 호텔 뷔페에서 맛있는 음식 대접해 드릴게요" 하는 학생을 비롯하여, "아들이 많이 변화되었다고 담임선생님이 전화로 칭찬을 해 주셨어요" "아이 행동이 많이 바꿨어요" "고마워요. 우리 큰 딸도 상담 좀 해주세요" 하는 부모님을 만난다.

자녀는 신이 그 아이를 가장 잘 양육할 수 있다고 판단된 사람에게 믿고 맡긴 선물이며 부모는 신의 대리 양육자이다. 신이 하늘에서 아이를 세상에 내려보내실 때 그 아이를 가장 잘 양육할 수 있다고 판단되어 믿고 맡긴 사람이 그 아이의 부모라는 것이다. 그러기에 부모와 자녀의 만남은 숙명적이며, 부모의 사명은 숭고하고 아름답다.

삶의 위기를 경험 중인 청소년을 만나 상담하다 보면 아이의 마음에 있는 상처와 분노를 마주하게 된다. 그 상처의 근원이 부모임이 드러나는 경우가 비교적 많다. 부모가 자녀의 의견을 무시하고 부모의 관점으로 자녀를 양육하려 하거나 자녀를 소유물로 취급하여 상처 주는 행동을 반복하고 있음이 상담 장면에서 노출된다. 가슴 아픈 일이다.

부모-등불을 켜서 들고
자녀가 걸을 길을 비추는 사람

　어떤 부모는 자녀에게 상담이 꼭 필요함에도 거부한다. 상담을 통해 가족 혹은 부모의 치부가 드러나는 것이 두렵기 때문이다. 성숙하지 못한 성인 아이이다.

부모란 등불을 켜서 손에 들고 자녀가 걸을 길을 비추는 사람이다. 부모교육 현장에서 강의나 상담을 진행하다 보면 간혹 문제해결 방법에만 초점이 맞추어진 부모들을 만나기도 한다. "아이가 핸드폰을 손에서 놓지를 않아요. 어떻게 하면 좋을까요?" "아이가 친구 관계의 어려움을 겪고 있어요. 상담받아도 효과가 없어요. 어떻게 하면 좋을까요?" "아이가 성폭력 관련 가해자로 신고되었어요. 어떻게 하면 좋을까요?" "아이가 누나를 무시하니까 관계가 나빠요. 어떻게 하면 좋을까요?" "아들이 분노 조절이 되지 않아요. 어떻게 하면 좋을까요?" "애가 자꾸만 자해해요. 저러다가 죽어버릴까 겁이 나요. 어떻게 하면 좋아요?" "아들이 자위해요. 어떻게 하면 좋을까요?" "어떻게 하면 좋을까요?" "어떻게 하면 좋을까요?"

위기청소년 자녀를 둔 부모의 절박함은 당장에 발등에 떨어진 불을 끄고 싶은 절실함이다. 지푸라기라도 잡고 싶은 막막한 마음, 사방이 막힌 공간에 서 있는 듯한 답답함, 의욕 상실의 마음, 자녀를 협박하다가, 울다가, 어르고 달래보다가, 욕을 하고 폭력을 써 보지만 자녀의 문제는 나아질 기미가 보이지 않고 결국 부모는 절망에 빠지거나 자포자기하게 된다. 어떤 부모는 극단적 선택, 자살을 염두에 두기도 한다. 부모로서 한계점에 봉착하고 삶에 대한 희망을 잃어버린 것이다. 가족의 바운드리 속에서만 길을 찾기 위해 헤매다가 길을 잃어버린 것이다.

칠흑같이 검고 어두운 밤에 가로 등불 하나 켜있지 않은 길을 혼자 걸어본 적이 있는가? 위기청소년을 둔 부모의 마음이 그러하다. 상담

현장에서 자녀에 대한 안타까움, 막막함으로 눈물을 보이는 부모를 만나는 것은 흔한 일이다. 어떤 부모는 현실을 받아들이기를 거부하기도 한다. "우리 애가 그럴 리 없어요" 자기 자녀를 믿는 부모 마음일까? 믿고 싶은 부모 심리일까? 아니면 현실을 부정하고 싶은 이기심일까?

"학교폭력으로 신고당했어요" "감당이 되지 않아요" "우울증이 왔어요" "모르겠어요" "어떻게 해야 할지 모르겠어요" "야단을 쳐도 안 돼요" "때려도 안 돼요" "제가 어떻게 해야 할까요?" "내가 무슨 죄가 있어서 저런 자식을 낳았을까요?" "내 잘못일까요?" "내가 죽어야 끝이 날까요?" 처연하게 힘없이 웃는 부모를 만나면 마음이 아프다. 무너져 내리는 이런 부모의 마음을 자녀는 알까?

'누구 잘못일까?' '어디서부터의 문제일까?' '어떻게 하면 이 문제가 해결될 수 있을까?' '내가 아이를 잘못 키운 걸까?' 숱한 밤을 고민하며 뜬눈으로 밤을 새웠다는 부모를 만나면 같은 부모로서 가슴이 저릿하다.

아무리 깨끗하고 맑게 닦여도 유리라는 장애물을 통해 보는 세상과 아무 장애물 없이 본연의 눈으로 보는 세상은 다르다. 색상, 밝음, 선명함, 빛남, 미세한 움직임, 느껴지는 빛의 파장, 명암 등 모든 것이 확연히 구분된다.

하물며 사람이랴.

바르게 보기 위해서는 마음의 장벽을 없애야 한다. 고정관념의 틀을 허물어야 한다. 경험으로 인한 선입견을 버리고 '카드라'를 버리면 본질에 가깝게 상태나 사물을 인식할 수 있다. 아이를 내 자녀로만 보지 말고 신이 믿고 맡긴 인격적인 존재로 바라본다면 여태껏 마주했던 자녀는 전혀 다른 모습의 존재로 눈에 각인될 것이다.

자녀는 부모의 믿음과 적당한 기대 속에서 자아효능감을 성취하고 자신을 신뢰하며 미래를 향해 자신감 있게 발걸음을 뗀다. 부모는 자녀가 앞으로 나아갈 수 있도록 등불을 켜 들고 길을 비추어 주는 사람이면 된다. 어디에 발을 디뎌야 할지 일일이 가르치고 지시하지 않아도 자녀는 잘 할 수 있다. 부모는 먼저 길을 걸은 사람으로서 바르게 걸어가기만 하면 된다. 부모의 모습을 보고 자녀는 방향을 설정하고 자기 삶의 길을 걷는다.

6월은 상반기의 수확 철이자 하반기를 위한 모심기 철이다. 곡물은 저마다의 재배법이 있다. 양파의 재배법과 모의 재배법이 같을 수 없다. 하물며 만물의 영장인 사람임에랴.

내 자녀가 원하는 것

　자녀를 가장 모르는 사람이 아이러니하게도 부모다. 아들이 고등학교 시절 스텝으로 PK 수련회를 섬긴 적이 있다. 걱정되었다. "잘 할 수 있을까? 잘하고 있을까?" 걱정하는 내게 딸이 말한다. "엄마, 걱정하지 마세요. 오빠는 집에 있을 때랑은 달라요. 엄마 아들인데 못 믿으세요? 믿음직스럽게 잘해요. 잘한다고 칭찬도 많이 받아요" 딸의 말에 순간 안심되면서 아들을 어리게만 생각했던 자신이 부끄럽고 아들에게 미안한 마음이 들었다.

부모는 자녀의 거울이다. 아들이 초등학교 4학년이던 어느 날 남편과 외출해 있는데 딸이 울면서 전화를 했다. 무슨 일인지 불안한 마음이 들었다. "엄마, 어떤 낯선 사람이 우리 집에 밥 좀 달라고 왔는데 내가 무서워서 그 사람이 우리 집에 안 들어왔으면 좋겠다고 했는데 오빠가 내 말을 안 듣고 그 아저씨를 우리 집에 들어오게 하고 밥을 주고 용돈 2만 원 줘서 보냈어요" 한다. 오빠한테 전화기를 가져다주라고 한 후 아들에게 말했다. "낯선 사람을 왜 집에 들였냐" "네가 돈이 어디 있어서 2만 원씩이나 줬냐". 아들이 말했다. "평소에 낯선 사람이 와서 밥 좀 달라고 하면 엄마는 그렇게 했잖아요. 밥을 달라고 하면 밥을 주고 돈을 달라고 하면 돈을 줬잖아요. 저는 엄마가 하는 모습을 보고, 제가 모은 용돈을 줬고 배고프다 하여 밥을 준 건데 제가 잘못한 건가요?" 할 말이 없었다. "아니 잘했어. 훌륭해. 하지만 앞으로는 여동생이 있으니까 낯선 남자는 조심하는 게 좋을 것 같애" 하고 마무리 지었다.

자녀는 스스로가 한 경험과 시행착오를 통해 성장하고 발전한다. 실수를 통해 온전함과 올바름을 배우고 실패를 통해 앞으로 나아간다. 자녀의 삶이 자신에게 만족함과 풍성한 충만한 삶으로 나아가게 하려면 자녀 스스로 선택하고 결과를 책임지도록 부모는 한 걸음 뒤로 물러설 필요가 있다. 그래야 자녀는 자기 인생을 산다. 자기 선택의 결과에 만족감과 행복을 느끼고, 때론 절망을 통해 내면이 단단해진다.

우리가 원하는 것은 자녀의 독립적 자립인가. 아니면 부모의 애착이 빚어낸 불완전함인가. 지나친 부모의 관심과 간섭이 때로는 아이의 성장에 부정적인 영향을 미칠 수 있다는 것을 부모는 알아야 한다.

지난 5월, 충북 옥천 수생식물학습원(천상의 정원)에 다녀왔다. 공원 입구를 들어서서 몇 걸음 걸은 후 공원 왼쪽을 향해 눈을 들었는데 〈그분은 꽃으로 웃으신다〉는 글귀가 눈에 들어왔다. 나도 모르게 입술에 미소가 떠올랐다. 꽃은 우리를 기분 좋으므로 인도한다. 꽃이 가진 저마다의 독특한 향기는 사람을 매혹하게 한다. 향에 매혹된 인간은 그 향을 간직하기 위해 향수를 만든다. 향수를 사서 뿌린다. 그 향취가 자신의 신체에서 흘러나오기를 바라며 그 향기를 소유하고자 하는 것이다.

그러나 아무리 비싸고 좋은 향수를 뿌려도 감출 수 없는 것이 있다. 사람에게서 뿜어지는 향수는 인간됨에서 가치가 발휘된다.

태중에, 눈에 보이지도 않은 작은 개체가 모체에 심어지고 수정이 되는 순간부터 인간은, 인간으로서의 모든 것을 습득하고 완성해 간다.

자녀가 원하는 것은 뭘까? 좋은 집일까? 매일매일 맛있게 먹을 수 있는 음식일까? 무한한 자유일까? 원하는 것을 마음껏 하게 하면 자녀는 만족감을 느낄까? 불만이 사라질까? 하루 16시간 게임만 하는 고등학생을 만나 상담을 진행한 적이 있다. 집에서는 밤새도록 게임을 하고 수업 시간에 잠을 잔다고 했다. 이 학생은 행복하다고 했을까? 오히려 죽고 싶다고 했다.

청소년의 뇌는 공사 중이다. 확장공사 중이다. 지금까지의 뇌의 구조로서는 앞으로의 기능을 감당할 수 없으므로 확장공사를 통해 뇌의 영역을 넓히는 것이다. 그래서 어수선하다. 때로 청소년도 자신의 감정이 컨트롤 되지 않고, 이해할 수 없는 이유가 그 때문이다. 자신의 이해할 수 없는 행동을 보면서 스스로 혼란스러움에 방황한다.

자녀와의 관계 회복을 위해 부모는 조급함을 내려놓고 기다려 주어야 한다. 부모-자녀 관계가 원만한 청소년은 사춘기도 있는 듯, 없는 듯 가볍게 지나간다. 힘들 때 기댈 수 있는 부모, 상황에 대한 심리를 공감해 주는 부모, 제자리로 돌아올 때까지 기다려 주는 부모가 있기에, 정서적으로 안정되고 문제에 봉착했을 때 돌파력이 강하다.

부모 또한 그렇다. 자녀로부터 인정받는 부모는 부모로서 기능을 더 잘 발휘한다. 더 헌신적이고 더 활기차다. 경제적 어려움, 사회생활의 고단함 속에서도 용기를 잃지 않는다. 서로가 서로에게 에너지를 공급한다. 그것이 시너지가 되어 가족의 결속력을 높인다.

　그저께 창원에서 24명의 초등학생에게 스마트폰 과의존 예방교육을 마치고 나오는데 어머님 한 분이 "선생님, 너무 감사합니다"라며 인사를 한다. 집에 돌아온 아들이 "프로그램이 너무 좋았다, 나는 앞으로 뇌과학자가 될 거다"라고 했다며 감사하다고 인사를 전해왔다. 곁에서 함께 인사를 하던 다른 부모님도 환한 미소를 고개를 끄덕이는 모습을 보였다. 강사는 교육을 마친 후 이런 인사를 받으면 용기가 솟는다. 더 잘해야지 하는 사명감에 불타오른다.

　칭찬은 고래도 춤추게 한다. 부모의 인정과 칭찬, 신뢰 속에서 양육받은 자녀는 장래에 어떤 신명진 춤을 추게 될까? 내심 기대된다.

"다른 사람이 성취한 것을 인정하라. 사람은 누구나 진심으로 인정받기를 원한다. 칭찬을 받으면 기쁨이 솟아나고 가슴 속에 꽃이 피어난다."
〈안셀름 그륀〉

Insight나루 대표
한국출판지도사협회 부회장
에니어그램상담심리 전문가
미술심리상담사
독일 Marte Meo 영상미디어치료 전문가
부모교육(부모·자녀 대화법/ 감성능력 키우기/
바른 교육관 갖기) 강사
인성교육(분노조절다루기) 강사
한국어 강사
독서코칭 강사
글쓰기, 책 쓰기 강사

010.4065.2554

유종숙 프로필
yoono11@hanmail.net

인문학적 소양을 통해
삶의 의미를 재발견하는 여정

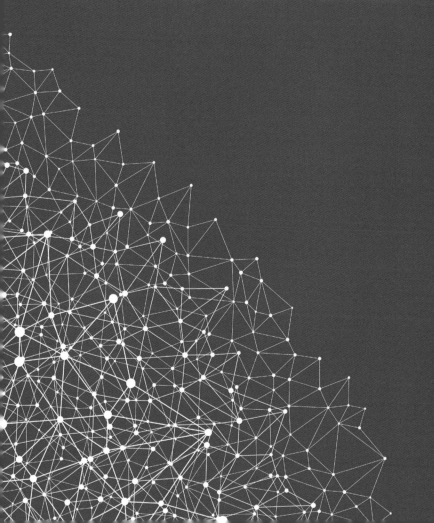

세상이 멈추라 하는 강사직,

멈추지 않고 달리련다

"어디에 있든 그곳이 출발점이다"

-카바르, 인도의 시인-

심장이 덜컹!

심장에 우박이 따갑도록 세차게 때린다.

무엇을 향해 지금까지 달려왔나?

잠이 오지 않는다!

한순간에 많은 사람 앞에 겁 없이 강의하며 행복했던, 모든 일이 다 막힘으로 앞이 캄캄하고 어떻게 하며 살아가야 할지 도무지 갈피가 잡히지 않는다.

삶이란 변화무쌍하다.

내가 정의한 대로 계획한 대로 살아지지 않는다.

시간으로 밀려가 과거가 되고, 현재 그리고 밀려오는 미래.

누군가를 만나고 헤어지고, 반복된 삶을 거부하는 걸까?

내가 선택하고 펼쳐지는 문제들, 해결책들, 묘책이 없을까?

딱 그 사람이 가지고 있는 수준 그 이상이 되지 못하는 환경.

어쩌지 못하는 힘의 세력, 각자의 몫이 있다.

결국은 나 혼자!

마음이 통하면 통하는 대로 강의를 통해 알게 된 인연.

인연이란 참 묘하다! 그 인연으로 다른 길로 가는 통로가 되기도 한다.

그녀를 통해 오픈방에 초대되어, 무수히 올라오는 정보들을 열어보고 쏟아버리고 그러다 문득 내 눈에 들어오는 글귀, 출판지도사!

무작정 링크를 통해 구글 폼을 작성하고 열고 들어간 오픈방의 세계.

또 다른 세계가 존재하고 있었고, 비대면으로 전혀 모르는 낯선 이들의 목소리를 들으며 분명 한국어이었고 알아들으면서도 무슨 말인지 이해가 안 되는, 도무지 모르는 틀들을 통해 누군가는 수익화라는 말이 여기저기를 도배하는 온라인 세상에 들어와 놀라기도 하며 이방저방을 입장하고 줌 강의를 들으며 잠시 나의 문제를 잊을 수가 있었다.

부모교육강사로 출발해 진로교육, 집단 미술심리상담교육, 미디어교육, 학폭, 안전교육, 다중지능교육, 버츄, 청소년 성교육, 사이버인성교육, 군인인구교육, 성인지교육, 군장병인성교육, 독서코칭, 한국어 등등, 바쁘게 일정을 강행하다 몸에 무리가 와 2017년 병원에 입원하면서부터 이후 점차 일을 줄여 군장병인성교육과 병영독서코칭 그리고 일요근로자반인 한국어교육에만 몰두해서 강의에 임했는데, 2024년 올해 군장병인성교육과 한국어교육은 나이 제한으로 일을 못 하게 되었고, 병영독서코칭은 국방부와 문체부에서 사업을 열지 않았다. 그런 사정으로 일들을 멈추게 된 상황에서 만난 출판지도사협회의 출판지도사자격은 새로 시작하는 인생 2모작 전환기이다. 어려운 일이지만 도전하고 내가 잘할 수 있는 일을 글로 담아내려고 한다. 이제 다시 용기 내어 독서코칭강사에서 글쓰기 책 내기 강사로 거듭나려 한다.

우리가 지금 살아가는 세상은 다문화 세상이다. 서로 다른, 세계의 문화, 정서, 관습, 환경 등 다양한 사람들이 공존해 간다. 누군가는 일의 성취에 기쁨을 느끼고 누군가는 사람과의 관계에서 보람을 느끼고 누군가는 생명을 다루며 가치를 느끼고 누군가는 세상의 문명을 발전시키며 뿌듯함을 느끼고, 누군가는 몸을 이용한 춤과 소리로 타인을 즐겁게 하기도 하고, 우리는 각자 주어진 삶에 순응하고 부딪히고 좌절하고 도전하고, 꽃은 꽃이고 나무는 나무고 기계는 기계이고 각자 자기의 본질에 충실하게 살며 유효기간을 채우고 떠난다.

얼마 전 우리 집에서 가족처럼 아끼고 소중하게 생각하며 함께 한, 한 생명이 떠나갔다. 슬픔이었고 아려옴이었다. 이제 다시는 보지 못한다는 미련과 좀 더 신경 쓸 걸 하는 후회가… 그럼에도 흐름에 맡길 수밖에 없고 흘려보내야 하는 것들이다. 가슴은 삶과 죽음에 대해 근본적인 질문을 나 자신에게 던진다. 모든 유기체는 유한하다. '나는 누구인가? 어떻게 살아가야 하고 어떻게 죽음을 준비해야 하는지에 관한 것이었다.' 죽음을 통해 나 자신을 되돌아봄과 어떤 존재로 살아가야 하는지에 대해 생각했다.

내가 지금까지 해온 일 중 제일 신바람 나게 열정을 쏟고 좋아하고 잘하던 일을 잘 다듬고 살려서 세상이 멈추라 하는 강사직, 멈추지 않고 재충전하여 다시 달려가 보련다.

인문학의 중요성과 가치

과학 문명의 발달로 물질만능주의 시대에 살고 있는 요즘, 사기로 피해를 보는 사람들이 늘고 사람이 사람을 믿지 못하는 시대가 되었다. 시도 때도 없이 "띵" 소리와 함께 오는 알람 스미싱 문자 메시지, 보이스피싱, 파밍. 도덕적 해이로 조직이나 개인이 자기책임을 소홀히

하고 서로가 서로에 대한 신뢰가 훼손되어, 인문학을 통한 진정한 자아를 발견하고 합리적이고 비판적인 사고를 통한 도덕적 판단이 필요한 때이다.

"인문학이란 인간과 인간의 근원문제, 인간의 문화에 관심을 두거나 인간의 가치와 인간만이 지닌 자기표현 능력을 바르게 이해하기 위해 연구하는 학문 분야로서 인간의 사상과 문화에 관해 탐구하는 학문이다(나무위키 참조). 오늘날 인문학은 자연과학, 사회과학, 형식과학, 응용과학 이외의 연구 분야로 더 자주 정의된다." 이렇듯 사람과 사람과의 관계 형성에서 상호 신뢰가 이루어질 수 있도록 돕는 인성교육이 절실히 요구되는 요즘이다.

인간교육의 핵심은 인성교육이고 인성교육의 핵심은 도덕교육이다.

20세기까지 미국의 인격교육은 지적으로 세련되고 능력 있는 국민이 되도록 돕는 일과 도덕적으로 훌륭한 국민을 기르는 것이었다. 그러나 1960년대에 들어서면서부터는 개인주의가 확산하여 퍼지다가 1990년대 들어서면서부터 새로운 인격교육운동이 시작되었고 "훌륭한 인격"을 기르는데 두어져야 하며 역사적 전통을 이어받는 관점에서 자리매김하여야 한다고 보는 견해가 지배적이다.

과거 동방예의지국이라고 불리어졌던 우리나라에 인성교육법이 만들어질 당시 정의화 국회의장의 법 제정 취지는 "세월호 참사로 윤리와 도덕이 붕괴된 현실을 뼈저리게 느꼈고, 이를 법 제정을 통해서 공동체의 가치가 확산되도록 노력하겠다."였다. 법안이 2014년 12월 29일 국회를 통과해서 2015년 1월 20일 공포되어 7월 21일부터 시행 중인 법률로 " www.low.go.kr인성교육진흥법

인성교육진흥법 제1조(목적) 이 법은「대한민국헌법」에 따른 인간으로서의 존엄과 가치를 보장하고「교육기본법」에 따른 교육이념을 바탕으로 건전하고 올바른 인성(人性)을 갖춘 국민을 육성하여 국가사회의 발전에 이바지함을 목적으로 한다. 제2조(정의) 인성교육이란 자신의 내면을 바르고 건전하게 가꾸고 타인·공동체·자연과 더불어 살아가는 데 필요한 인간다운 성품과 역량을 기르는 것을 목적으로 하는 교육을 말한다." 인성교육의 "핵심 가치·덕목"이란 인성교육의 목표가 되는 것으로 예, 효, 정직, 책임, 존중, 배려, 소통, 협동 등 마음가짐이나 사람됨과 관련된 핵심적인 가치 또는 덕목을 말하며 "핵심 역량"이란 핵심 가치·덕목을 적극적이고 능동적으로 실천 또는 실행하는 데 필요한 지식과 공감·소통하는 의사소통능력이나 갈등해결능력 등이 통합된 능력을 말한다.

인성교육진흥법이 시행된 이듬해 군부대 장병을 대상으로 군장병인성교육이 지금까지 계속 이어지고 있다. 그곳에서 2016년부터 2023년까지 위탁받은 업체의 소속으로 군장병인성교육을 담당한, 한 팀의 팀장 겸 수석강사로 활동했었다.

약 8년간 국내 전국을 돌며, 너른 비무장지대 건너편에 북한이 보이는 열쇠부대 전망대도 올라가 보고, 통제된 무등산 꼭대기 부대를 비

포장길로 40분 정도 올라가 광주 시내뿐만 아니라 멀리 월출산까지 보이는 부대에서 강의할 때도, 최전방 철책 안, 오지로 갈수록 장병들이 얼마나 순수하고 예쁜지…. 나라를 지키는 그들에게 늘 감사하고 든든했다. 울릉도를 비롯해 백령도, 제주도 등 군부대가 있는 곳은 거의 다 가보지 않았나 싶다. 그동안 10만 명 정도를 교육한 것 같다. 해병대와 육군은 3일, 공군은 2일, 해군은 1일 교육으로 전국을 누비며 사명감을 가지고 즐겁고 신나게 강의했다.

수동적으로 임하는 장병들을 교육의 장으로 끌어들이려면 포상이라는 보상이 반드시 필요하다. 내가 잘하는 것은 대대장님을 설득해 포상 휴가를 받게 하는 것인데 나는 그 일을 잘해내 우리 팀원들에게 협상의 달인이라는 말을 많이 들었다. 당연, 교육 현장은 서로 받고 싶은 마음에 후끈 달아올라 인성교육의 교육 효과에도 도움이 됐다. 열정적으로 참여해 준 장병들이 있어 피곤함도 잊은 채 3일간의 교육을 담는 사진을 모아 영상을 만들고, 마지막 날에는 7대 핵심 덕목의 의미를 되새길 수 있는 영상을 보며 눈물이 핑 돌고 전율이 느껴지고 감동의 도가니로 인성교육을 마무리할 때, 사명감과 보람을 느낀다.

집단교육을 할 수 있는 곳은 아마도 군대이지 않나 싶다. 장병의 관점에서 입대 전에는 상상도 못 한 새로운 장소이다. 서로 다른 환경과 서로 다른 가치관을 가진 다수의 집단이 있는 곳이다. 군대 장병의 생존기술은 정신, 전력이다. 이곳에서는 언제나 문제는 도사리고 있다.

창의 덕목을 통해 문제해결 능력을 키우고, 용기를 통해 두려움을 극복하며 회복탄력성을 함양하고, 책임을 통해 솔선수범, 명예, 역할 정체성을, 협력, 존중, 충성, 정의를 통해 바르게 생각하고 정의롭게 행동하며, 타인에 대한 존중과 협력능력을 갖춘 훌륭한 군인 양성에 목적을 두고 있다.

내가 종종 강의할 때 쓰는 인성이라는 이름이다.

'여러분은 어떤 이름으로 불리기를 바라는지' 물으며 강의를 풀어간다.

인성에는 여러 가지 이름이 있다.

각 사람의 수준에 따라 누군가에게는 천품이라는 인성을, 누군가에게는 인품을, 성품을, 성격을, 성질, 성깔, 싸가지, 억지, 싸이코라는 9가지의 인성의 이름을 붙여서 말한다.

여기서 나는 어떤 이름으로 살아갈까? 나는 여러 가지의 이름을 가지고 살아간다. 하나의 인성을 가지고 살아가는 것이 아니라 대상에 따라 이름들이 불려진다.

나는 어떤 인성의 이름으로 세상을 살아가고 문제들을 해결하며 살아갈까? 살아가다 보면 정말 만나고 싶지 않은 사람들도 만나게 되고, 피하고 싶은 사람이 아주 가까이 있기도 하다.

그런 사람이 주변에 없다면 그는 아마도 큰 복을 받지 않았을까 싶다. 내 안의 나를 조종하는 이는 바로 나이다. 그 누구도 아니며 누군가의 말로 변화되지 않는 존재이다. 하지만 혼자 살아가는 세상이 아니기 때문에 교육을 통해 변화될 수 있다고 본다.

포천의 한 부대에서 전역을 앞둔 용사의 상담 요청이 들어와 상담한 적이 있다. 5월이면 자살하고 싶은 충동이 일고 또한 전역 후의 일이 암담하다고 했다. 상담하는 과정에서 그 용사의 자살 충동 원인을 찾아냈고, 위로하고 문제가 잘 해결되어 전역 후 지금도 가끔 전화가 온다. 또 한 사례는 문제가 있는, 말하자면 관심병이었다. 모두 피하는 분위기였지만 그 용사에게 일부러 일을 분담시켜 맡기고 칭찬을 해주니 적극적으로 교육에 참여할 뿐만 아니라 변화되는 모습을 볼 수 있었다. AI로 세상을 지배한다고 해도 우리는 인성교육을 통해 사람과의 관계를 해결하고 인간다워져야 한다고 강조해도 아깝지 않다.

진정한 삶의 의미를 찾아서

"『마음챙김』 - 샤우나 샤피로 지음 발췌

정밀하게 측정할 수는 없지만, 과학자들은 우리 뇌가 엑사플롭(exaFlop)급 속도로 작동한다고 추정한다. 초당 100경(10에 18승) 회의 연산이 가능하다고 본다. 일반 컴퓨터보다 10억 배 빠른 속도로 작동한다는 뜻이다. 뇌는 1조 1천억 개의 세포로 구성되어 있는데, 여기엔 먹고 자는 일에서 웃거나 사랑에 빠지는 일 등 일상생활의 온갖 부분을 관장하기 위해 함께 작동하는 1천억 개의 뉴런이 포함한다." 인체의 배터리이자 에너지인 미토콘드리아.

나는 『마음챙김』이라는 책을 가지고 병영독서코칭을 한 경험이 있다. 이 책을 통해 진정한 마음챙김이 무엇인지, 자기 자비를 어떻게 기를지를 알려주는 멋진 지침서라고 생각해 마음이 힘들 때 즐겨 이 책을 보며 위로를 받는다.

우리의 경험은 한계가 있으므로 책을 통해 간접 경험을 하며 성장한다. 다른 이들의 삶을, 지식을 엿보고 얻는다. 독서코칭을 하면서 좋은 점은 전문가들이 여러 달 걸쳐 선정하고 독서 편식에 빠지지 않도록 분야별로 다양한 안배가 고려된 책이라는 점에서 참 좋다.

그렇게 선정된 42권 중 6권의 책을 가지고 2주에 한 번 6회를 방문한다. 책을 통해 저자를 만나고, 자신의 내부를 들여다보고, 서로 나누고, 자기 삶에 적용한다. 장병들 덕분에 나 또한 성장한다. 군부대를 방문하여 장병들을 만나고 책을 매개체로 서로 대화를 나눌 때는 세대 차이를 느끼지 못한다. 코로나19 때도 거르지 않았는데, 13년 만에 처음 병영독서활성화지원사업이 이루어지지 않았다.

이제는 독서코칭에서 글쓰기 책 내기 강사로 도전한다.

아무리 인공지능시대라 해도 인공지능이 가질 수 없는 인간 고유의

능력이 바로 공감능력과 창조적 상상력이다. 깊이 생각하는 능력, 생각(논리)을 정밀하게 다듬는 능력, 생각(논리)을 알기 쉽게 표현하는 능력, 다른 사람들과 공감하는 능력 등이다.

메멘토 모리(Memento mori)는 "자신의 죽음을 기억하라" 또는 "너는 반드시 죽는다는 것을 기억하라", "네가 죽을 것을 기억하라"를 뜻하는 라틴어 낱말이다. 옛날 로마에서는 원정에서 승리를 거두고 개선하는 장군이 시가행진을 할 때 노예를 시켜 외치게 했다고 한다. '전쟁에서 승리했다고 너무 우쭐대지 말라. 오늘은 개선장군이지만 너도 언젠가는 죽는다. 그러니 겸손하게 행동하라.' 이런 의미에서 생겨난 풍습이라고 한다.

오늘 내가 행복한 이유?
오늘 내가 불행한 이유?
오늘 내가 기쁜 이유?
오늘 내가 슬픈 이유?

이런 감정과 고민은 우리가 겪는 일이며, 그 속에서 성장하고 배우는 것이 인생의 일부다.

삶은 변화무쌍하고, 때로는 어둠 속에서 갈피를 잡기 어려울 때도 있다. 하지만 그런 순간들이 우리를 더 강하게 만들고, 새로운 길을 찾게 해준다.

인성은 우리가 세상과 상호작용하는 방식을 결정한다. 다양한 이름으로 불리는 인성은 우리가 어떤 사람이 되고 싶은지를 나타내는 것이기도 하다. 어떤 이름으로 살아가든, 우리는 항상 자신을 발전시키고, 다른 사람들과 좋은 관계를 유지하며 살아가야 한다.

마지막으로, 메멘토 모리는 우리에게 생명의 유한성을 상기시켜 준다. 죽음은 모든 살아 움직이는 유기체의 공통된 순간이며, 그것을 기억하며 감사하게 살아가는 것이 중요하다.

오늘도 독자 여러분이 행복하고 의미 있는 순간을 만들기를 바란다.

낳았으나 소유하지 않고, 이루었으나 기대려 하지 않고, 길렀으나 지배하지 않으며, 이를 일컬어 큰 덕이라고 한다.
- 노자도덕경 제50장 중에서   너와 나로서 귀한 손님 대하듯.

"어디에 있든 그곳이 출발점이다."
〈카비르, 인도의 시인〉

경성대학교 교육학박사
부산여자대학교 외래교수
부산디지털대학교 특임교수
글로벌에듀 교강사
한국출판지도사협회 부회장
사)한국아동단체협의회 이사
NGO한국청소년리더십아카데미 공동대표
유니세프부산 세계시민(아동권리) 대표강사
한국퍼실리테이션 협동조합 전문 퍼실리테이터
긍정리더인재개발원 전문강사
KCN뉴스, 뉴미디어타임즈기자.

이서미 프로필
smstory17@naver.com

아기 울음소리부터 시작된
스토리텔링

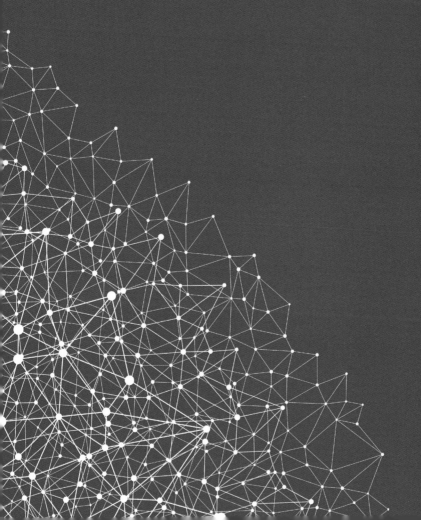

스토리텔링은

인문학의 출발이다.

"말해야 할 때 말하지 않으면 사람을 잃고
말하지 말아야 할 때 말하면 신뢰를 잃는다."
-논어-

엄마의 자궁으로부터 세상의 출발을 알리는 아기의 울음소리 '으앙, 응애.' 참으로 고귀한 소리입니다. 사방에 어둠으로 쌓여있는 작은 공간에서 으르렁거리며 포효하는 사자처럼. 온 힘으로 "나, 여기 있어요. 나 좀 봐 주실래요?." 머리끝부터 발끝까지 험난한 세상과 행복한 세상의 지구 종착역에 도착한 자신을 알리는 포인트입니다.

자신의 의지와 상관없이 열 달 동안 따뜻하고 안정된 곳에서 지내다 사랑의 낙원 둥지에서 무섭고 두렵고 기대에 부푼 세계로의 출발입니다. 아주 서럽게 힘차게 메시지를 전달하며 울어 댑니다. 울음소리가 들리지 않으면, 의사 선생님은 아기의 엉덩이를 사정없이 때려줍니다.

이것이 바로 인간을 위한 숨이며, 인간의 고귀한 생명 탄생의 '원초 아'라고 할 수 있습니다. 산모는 분만과 동시에 두려움과 고통이 밀려와도 아기의 울음소리에 안정감을 찾고 환희에 복받쳐 울음을 자아냅니다. 이것이 바로 인간을 위한 학문 서사시의 도입 부분입니다. 최초의 스토리텔링이라고 할 수 있습니다.

문자나 기록이 없던 선사시대 사람들은 어떻게 소통하였고, 상호작용을 했는지 궁금할 수밖에 없습니다. 동물들도 저마다의 소통하는 방법이 있듯이 이들은 문자가 없었기에 기록으로 남길 수 없지만, 언어의 체계보다는 비언어의 소통법이 더 빠르지 않았을까 추측해 봅니다.

사냥하는 방법, 농사를 짓는 방법, 가족의 구성원을 만드는 방법 또한 원시적인 방법이었지만 생존하고 종족을 번식하기 위한 농경, 어로, 채집 생활에 관해 이야기하고 돌이나 나무에 새겨 커뮤니케이션을 했을 것입니다. 언어 자체가 문화이기 때문입니다.

현재도 계속 이어지고 있지만, 과거에 집착한 언어와 보릿고개 시절 끼니를 걱정하던 시절이 있었습니다. 밤새 무슨 일은 없었는지 식사는 잘하셨는지 걱정이 많았던 시절 "안녕히 주무셨습니까?." "진지 잡수셨습니까?" 무슨 일이 일어나더라도 인간의 존재는 밥을 먹어야 했던 시대 상황을 잘 반영하는 생활양식 그대로 언어에 드러납니다.

고전의 반열에 오른 영국의 작가이자 수학 교수 루이스 캐럴의 '이상한 나라의 앨리스' 상상력과 즐거움 환상 속으로 빠져들게 하는 동화입니다. 생각의 고리를 만들어 주는 장면을 한 번 다 같이 읽어보겠습니다.

앨리스가 고양이에게 물었다.
"어느 길로 가야 하는지 알려줄래?"
앨리스의 질문에 고양이가 말했다.
"넌 어딜 가고 싶은데?"
앨리스가 답했다.
"난 어디든 상관없어."
고양이가 말했다.

"그럼 어느 길로 가든 상관없겠네."

앨리스는 다시 물었다.

"왜?"

앨리스가 묻자 고양이가 대답했다.

"네가 어디로 가야 할지 모른다면, 넌 어디에도 가지 못할테니까?"

"그건 네가 어디로 가고 싶은 건지에 달렸어."

고양이는 방향을 알려주지 않고 네가 어디로 가고 싶은지만 알려줍니다.

우리들의 언어도 마찬가지입니다. 방향성을 잘 잡지 못한다면 포류하고 말 것입니다.

언어는 그만큼 나의 목적에 좌표가 됩니다.

앨리스와 고양이의 대화 속에서 언어가 얼마나 큰 힘을 작용하는지 알 수 있습니다.

우리는 언어의 함정에 빠지지 않도록 해야 합니다. 또한 언어의 힘에 조율할 수 있어야 합니다. 말의 변화를 통해 관계가 성장하듯이 관계 지향적인 원하는 말이 무엇인지, 우리의 목적성이 무엇인지, 무엇을 알아야 하는지, 무엇을 바랄 수 있는지 구체성과 정확성이 필요합니다.

모호한 언어는 모두에게 혼란을 줄 수 있기 때문입니다. 대한민국에서 가장 검사를 많이 한다는 MBTI의 경우도 환경과 감정에 따라 자기 보고식 검사를 합니다. 1년 전 검사 결과와 그 이후의 결과물이 다르게 나올 수 있지만 비슷한 경우가 많습니다. 예측이 힘든 환경 변화와 감정의 몰입감이 달라졌을 경우를 제외한다면 일상 속 습관과 행동 언어가 자신의 가치를 대변하며, 스스로 자신을 살피고 이력서를 체크하기에 이런 결과가 나오지 않을까 추측해 봅니다.

물론 감성의 소유자들은 명확한 답을 제시하지 못할 수도 있습니다. 다른 사람을 배려하거나 상대의 입장에서 자신의 감정을 함부로 말을 드러내서 상처를 줄 수 있다는 논리 때문에 우유부단하며, 타인에게 감정 읽기 추론을 더 힘들게 할 수 있습니다. 자신과 타인의 감정을 인식하고 표현하는 능력이 중요합니다. 공감하는 것으로 끝나는 것이 아니라 상대의 필요한 니즈가 무엇인지 알아차리고 공감력으로 실행하는 힘이 중요합니다. 이것이 암묵적 언어 대화력일 것입니다. 상호작용하며 소통하는 힘, 친밀감을 형성할 수 있는 모든 것은 언어를 통한 유희본능이라 생각합니다. 내가 무엇을 원하는지 무엇이 필요한지 아는 '메타인지 높이기'와 감정의 욕구는 자신의 어휘력뿐만 아니라 언어 자각력을 높일 수 있습니다.

'말의 힘' 저자 연세대 이규호 교수는 "언어는 단순한 표현 수단을 넘어 사람됨을 이룩한다"라고 합니다. 독인의 시인 아인리히 하이네는 '언어는 죽은 이를 무덤에서 불러낼 수도 있고, 산 자를 땅에 묻을 수도 있고 소인을 거인으로 만들 수도 있고 거인을 완전히 망가뜨려 없애 버릴 수도 있습니다.'라는 명언을 남기기도 했습니다. 모든 표현 하는지를 아는 언어와 비언어로 완성되기 때문입니다.

언어와 존댓말의 친화력은 존중의 아이콘이다

조선일보 김태훈 논설위원 기사에 의하면 어느 고등학교에서 '저는 효자입니다'라고 존댓말 인사를 하게 했다고 합니다. 언어를 그렇게 사용하다 보니 예의 바른 학생이 되었다는 학부모의 감사 편지도 많이 받았다고 합니다. '반말하고 버릇없던 아이가 존댓말 쓰는 아이로 바뀌었다' 는 내용이었습니다. 상대를 부르는 호칭에 따라 존중하는 마음이 더 높아질 것입니다. 물론 강제성이 있는 교육에 의한 존댓말 사용은 현장을 떠나면 다시 반말을 하게 되는 일회성 교육에 그칠수도 있겠지만. 좋은 결과물이 나왔다고 하니 희망이 보입니다. 각종 SNS나 숏폼 유튜브로 인해 전두엽이 말을 듣지 않고 도파민의 과다 배출로 인해 더욱더 강한 맛, 더욱더 강한 재미에 어린이나 청소년 어른 할 것 없이 인터넷 바다에 풍덩 빠져있습니다. 기계음의 강한 스토리텔링이 아닌 말랑말한 유연한 언어로 이들을 이끌어주는 메시지가 필요한 때입니다.

생각하는 힘은 결국 사라지고 운둔형으로 시간을 보낼 확률이 높아집니다. 가상세계에서 살고 있는 친구의 자녀가 있습니다. 대학교를 졸업하고, 직장생활 1년을 청산한 후, 자기 방에 갇혀서 가상 시나리오 인물들과만 관계를 맺는다고 한다. 부모님이 방에 들어오지 못하도록 문을 꼭 잠그고 필요한 대화는 카톡으로, 식량 공급원은 컵라면이며 가족과의 소통은 방문 하나를 두고 일방적 대화를 한다고 합니다. 그러나 정작 부모는 심각성을 모르고 있는 것 같아 안타까웠습니다.

유·초·중·고등학생이나 대학 일반부까지 언어폭력을 예방하기 위해서는 존댓말 사용을 위한 교육을 프로그램화하여, 존댓말이 일상생활 속에서 녹아들 수 있도록 도와주는 역할을 해야 합니다. 부모님이 먼저 가정에서부터 출발하고 교육 현장이나 사회에서 다 같이 한목소리로 힘을 모았으면 합니다.

인간에게는 기본 인권이 있고, 자유로운 권리는 중요합니다. 하지만 때로는 강제성도 필요할 때가 있습니다. 교토대 일본 오구라 기조 교수는 일본은 칼로 싸우는데 한국인은 말로 싸운다고 했습니다. 한국인은 말을 칼처럼 쓴다는 의미입니다. 소파 방정환 선생님도 어린이끼리도 존댓말을 쓰자고 했고, '말이 씨가 된다' 는 우리나라 속담은 어른들의 지혜서에서 나온 말일 것입니다. 살아 숨을 쉬고 있는 언어는 인간만이 누릴 수 있는 가장 큰 매개체입니다.

영국 시인 워즈워스도 일찍이 '어린이는 어른의 아버지'라 하였습니다. 어른들도 어린이들을 보고 배울 것이 있다는 의미일 것입니다. 어린이는 분명 정신적 측면과 기술적 측면의 문화와 문명에 오염되지 않은 순수한 몸과 마음을 갖고 있습니다. 이렇듯 문화의 공유성과 학습성은 한 사회·문화 언어로부터 학습되는 것을 알 수 있습니다. 한 사회의 문화는 상호 밀접한 관련을 맺을 수 있으며 전체를 이룰 수 있습니다. 스토리텔링은 사람들이 살아가면서 필요한 의미와 가치. 관습과 신념, 상징적 실천들이 모인 총체적 삶의 집합체입니다. 한 아이를 키우려면 온 마을이 필요하다. 는 아프리카 속담처럼 말입니다. 언어의 체계화 습관화 담론은 어릴 때부터 공론화 시켜야 된다고 생각합니다.

'소는 뿔을 붙잡고 사람은 대화로 붙잡아라' 라는 스페인 속담이 있습니다. 소는 뿔을 꽉 잡아야 붙잡기 쉬운 것처럼 말은 남의 마음을 움직이게 하는 가장 효과적인 수단입니다. 한국에도 비슷한 속담이 있습니다. 비단이 대단히 곱다 해도 말같이 고운 것 없다.

'말 한마디로 천 냥 빚을 갚는다.' '발 없는 말이 천 리 간다.' 지구에서 가장 센 도구가 말이다. 등입니다.

권력가, 정치가, 재력가, 서민들, 사이에는 암묵적 힘의 균형이 작용합니다. 힘의 균형이 깨지면, 많은 오류를 범하면서 살게 되지요. 속담처럼 말 한마디로 빚을 갚기는 어렵지만, 사람의 마음을 움직이는 언어와 존댓말에는 마음을 움직이는 묘약이 들어있기에 스토리를 어떻게 만들고 포장해서 텔링을 할 것인지 말하는 기법을 배우고 연구하고 사용하는 것들에 투자해야 합니다.

고전 인문학에서 배우는 스토리텔링 언어의 힘

로마 제국에는 최초 1인 통치 시대를 열었던 전쟁 영웅. 전략과 전투력 사람의 마음을 사로잡기도 하고, 웅변술에 뛰어난 카이사르 황제가 있습니다. '주사위는 던져졌다'라는 유명한 명언은 문학을 좋아하는 사람이라면 알 것입니다. 이 말은 '돌이킬 수 없다, 운명에 맡긴다.'는 뜻으로 해석됩니다. 지략과 용맹함으로 소아시아의 맹주임을 알려준 사건이 있습니다. '파르나케스 2세'를 무찌르면서, '왔노라, 보았노라, 이겼노라' 단 세 마디의 승전보를 원로원에 보냅니다. 소소하게 놓쳤던 언어의 힘을 느낄 수 있고, 간결하면서 대중을 사로잡는 이 문장은 세인들이 인용하면서 아직도 사용합니다. 우리 속담에 '말이 씨가 된다.'라는 말이 있습니다. 사람을 살리기도 죽이기도 하는 것이 말의 온도입니다. '세 치 혀가 사람 잡는다' 약 9센티미터밖에 안 되는 짧은 혀지만, 사람의 목숨을 빼앗을 수 있다는 뜻이기도 하며, 뛰어난 말재주를 이르는 말이기도 합니다. '가루는 칠수록 고와지고 말은 할수록 거칠어진다' 는 말처럼 혀와 입술 관리를 제대로 하지 못하면 삶의 질이 낮아질 수밖에 없겠지요.

하고 싶은 말을 '마음대로 말하기' 유내경 저자는 말의 변화는 생각과 마음의 변화에서 출발한다고 했습니다. 거절하더라도 웃으면서 마음이 상하지 않도록 거절하고 상대방과 내가 발전적으로 나아갈 수 있도록 하는 언어 표현이 중요하다고 했습니다. 표현하지 않으면 커뮤니케이션 과정에서 상대방이 알 수 없을 것입니다. 커뮤니케이션도 리액션이 중요합니다.

시성 괴테의 작품 파우스트의 마지막 장면이 생각이 납니다. 파우스트 성으로 할멈 4명이 다가와 열쇠 구멍으로 들어오려고 합니다. 결핍, 채무, 근심, 궁핍입니다. 파우스트는 부자이기 때문에 부족한 결핍을 채울 수 있고, 채무와 궁핍 또한 없었습니다.

이들은 파우스트 성안으로 들어갈 수가 없었습니다. 하지만 인간이 가지고 있는 불안은 여기에도 기록되어 있습니다. 즉, 근심만이 열쇠 구멍으로 들어갈 수 있었습니다. 파우스트가 당장 나가라고 화를 내지만 근심은 아랑곳하지 않습니다. 근심의 할머니는 저주를 걸어 파우스트의 눈을 멀게 만들어 버립니다.

파우스트는 매일 새롭게 도전하는 사람은 자유와 생명을 얻을 수 있다는 것을 깨닫습니다. 마지막 생을 마무리하면서 '머물러라. 너는 정말로 아름답구나.'라는 마지막 말을 남기고 쓰러집니다. 피의 계약을 맺었던 악마 메피스토펠레스는 자신이 파우스트에게 졌다는 것을 인정합니다.

파우스트는 괴테가 죽기 전 60년 동안 고민하면서 죽기 한 해 전까지 쓴 작품입니다. 우리의 삶을 돌아보면서 우리는 시성인 괴테처럼 에세이를 쓰고 있습니다. 기록은 하지 않더라도 드라마틱한 삶, 자체를 써 내려가는 것입니다. 파우스트의 마지막 궁핍과 채무, 결핍. 근심은 어쩌면 우리와 삶을 나란히 하고 있는지도 모릅니다. 근심은 두려움에 포함되어 있는 요소입니다. 요람에서 무덤까지 전반적 삶의 마무리를 함께 합니다. 우리는 스스로를 위해 마음 근력을 만듭니다. 이야기를 만들고 입혀서 말로서 그것을 세상에 내어놓습니다.

"내가 인생의 불변 법칙을 배우게 된 것은 대학의 학창시절이 아니라 어머니의 무릎 동화에서부터"라고 괴테는 말합니다. 괴테의 어머니는 귀족의 딸도 학식이 높은 것도 아니었지만 전래 동요를 부르면서 잠재웠으며 무릎에 앉혀 이야기를 들려주었다고 합니다. 괴테는 뒷이야기 만들기도 하면서 어렸을 때부터 어머니께서 들려주는 이야기 덕분에 창의성과 사고력 상상하며 추리하는 능력까지도 키울 수 있습니다, 문학가이면서 유명한 파우스트까지 마무리한 괴테의 뒤에는 스토리텔링 하면서 지지와 인정 긍정적 화법의 성숙한 언어가 늘 함께했을 어머니만이 가지고 있는 언어의 힘이 탄생합니다.

불안과 두려움 언어와 함께 춤을 추자

　'콩 심은 데 콩 나고, 팥 심은 데 팥 난다'라는 속담이 있듯이 부모
의 정서와 언어가 자녀들에게 미치는 영향력은 매우 큽니다. 이 속담
은 원인과 결과라는 근거를 예측하면서, 환경이 얼마나 중요하다는 것
을 알려줍니다. 비옥한 마음 밭을 만들어 주고, 아이들이 잘 성장할
수 있도록 언어와 감성과 공감의 자양분이 되도록 해야 합니다. 순간
순간 피드백하는 정성을 들여, 그것이 영양분이 되어 스스로 섭취하도

록 만들어 줄 수 있는 성숙한 어른이 되어야겠습니다. 처음에 뿌려진 싹이 무엇인지 열매가 얼마나 풍성하게 자랄 수 있는지 알 수 없지만, 뿌린 씨앗의 열매는 배신하지 않습니다.

문제행동 뒤에 문제 부모가 있듯이 이런 문제는 모두 불안에서 출발합니다. 최근에 세계 시민 교육을 하면서 일곱 살 OO이를 어린이집에서 만나고 있습니다. 아이는 자신의 행동이 잘못된 것을 알면서도 자기 위주로 원하는 것을 얻으려는 행동을 계속합니다, 행동반경이 넓어서 반 친구들에게 불편한 마음을 주기도 합니다. 아이들은 "애가 때렸어요." "물건을 던졌어요." "얘가 찢었어요." 등 불만을 토로하고, 담임선생님의 힘들어하는 모습도 발견하게 됩니다. 문제행동을 진단하기 이전에 가정의 울타리가 되는 가족 구성원도 살펴봐야 합니다. 어머니께서 직장에 출근하시기 때문에 아이는 오전 09시부터 오후 18시까지 열 한 시간 동안 장시간 어린이집에 머뭅니다. 문제를 해결할 방안에 대해 고민합니다.

아홉 시간 동안 엄마를 기다리면서, 사랑이 고프기도 하고 애정이 필요한 아이가 엄마를 기다리며 장시간 어린이집에 있는 것은 너무 가혹합니다. 옳고 그름을 배우며, 언어와 성격 형성의 가장 중요한 결정적 시기에 가족의 부재는 정서적 안정감의 부족을 가져올 수 있습니다. 늦은 시간 엄마와 집에 돌아가도 피곤한 엄마는 아이의 이야기를 들어줄 여유가 없습니다. 엄마와의 상호작용도 부족하고 서로 소통하는 시간은 터무니없이 부족할 것입니다. 이른 아침 어린이집에 보내기 위해 꿀잠을 자는 아이를 깨우면서 서로가 충돌이 일어날 것이고, 엄마의 삶도 녹록지 않아 에너지가 고갈될 수 있습니다. 그러다 보면 엄마는 부정적 언어를 구사하기도 할 것입니다. 아이는 그 부정적인 언어로 콩과 팥을 심습니다. 이렇듯 환경이 얼마나 중요한지 우리는 인지하게 됩니다. 그 콩은 다른 곳에서 발화될 것입니다. '줄탁동시'가 생각이 납니다. 담임선생님과 원장님, 그리고 제가 함께 콩나물시루에 물을 주듯이 오늘도 아이에게 사랑의 단비를 내려 줍니다.

다른 사람에게 인정받고 싶고, 관심받고자 하는 태도가 다른 친구들에게는 방해의 요소가 될 수도 있습니다. 단체 수업을 할 때는 학습권 침해가 될 수 있기 때문입니다. 문제들을 파악하여 상호존중하는 언어를 사용할 수 있도록 부모교육과 함께 아동에게도 언어의 중요성을 알 수 있도록 또래와의 존댓말을 사용하도록 해 주는 것이 중요합니다.

사람들의 감정은 딱 하나입니다. 감정이 얼마나 많은데 무슨 엉뚱한 소리를 하는 거야? 하겠지만 감정은 '두려움'으로부터 출발한다고 합니다. 이처럼 두려움에서 모든 감정이 파생한다고 하는데. 사람들이 두려움을 없애기 위해, 다양한 방법으로 두려움을 가리게 됩니다. 온갖 권모술수를 동원하여 점점 권력과 명예가 높아지면 속마음은 불안해집니다. 올라갔으면 내려가는 길밖에 없기 때문입니다. 성공하면서 1위를 달리는 사람들은 숨이 '턱' 막힘이 몰려올 것입니다.

그림책 '불안'에서는 두려움의 대명사 불안은 동반성장 하며, 인간과 함께 살아야 한다는 것을 보여줍니다. 두려움을 멀리하는 것은 바람직하지 않습니다. 삶도 허들 경기와 미로찾기 게임처럼 함께 허들을 넘고 함께 미로 찾기 게임을 하면서 두려움을 직면하며 즐길 수 있어야 합니다. 이것 또한 언어가 가지는 마술이 아닐까요? 괜찮아, 넌 잘 할 수 있어. 너의 두려움은 잠시야. 이것을 넘기고 나면 성공이 보여. 너의 경제적 기반이, 너의 시험결과가. 수 없이 자신에게 중얼거리듯 불안감으로 인한 공포를 흐리게 하고 긍정의 지배력을 높이기 위해 스스로 가스라이팅 합니다.

고대 그리스 신화에 나오는 트로이 목마는 그리스군들이 전쟁에 진 것처럼 위장해 트로이 목마를 해변에 버려두고 바다로 떠납니다. 신을 위한 선물로 위장했는데도 저주에 걸린 예언자의 말을 믿지 못했던 트로이 사람들은 전리품으로 생각하고 성안으로 가지고 들어옵니다.

결과는 뻔했죠. 한밤중에 술에 취해 자고 있던 병사들은 속수무책 목마 안에 숨어있던 그리스 병사들에 의해 죽임을 당하게 됩니다. 같은 시간에 전쟁에 패했다며 바다로 되돌아가는 척했던 그리스 병사들이 다시 성안으로 들어와 트로이 성을 불태웁니다. 트로이 목마 이야기는 서양 문화에서 속임수이며 교활한 전략의 상징이라 할 수 있습니다. 누군가를 경쟁에서 이기려면 이기적인 교활함이 들어옵니다.

마음속에 나쁜 영향을 이끌어오는 것을 그럴싸하게 페르소나 가면으로 가리며 살고 있습니다. 트로이 목마처럼 목적을 이루기 위한 것이 아니라 사람을 살리는 언어와 행동의 변화가 중요합니다. 트로이와 그리스의 갈등 사이에는 스파르타 왕 메넬라오스의 아내 헬레네가 트로이의 왕자 파리스에 의해 납치된 것이 촉발된 것입니다. 납치라고는 할 수 없습니다. 사람과 사람사이의 관계가 중요합니다. 트로이 왕자가 남편이 있는 헬레네에게 언어와 비언어로 유혹을 하지 않았다면 헬레네가 남편의 나라를 두고 트로이 왕자를 따라갔을까요? 두 나라 사이에 갈등은 일어나지 않고 협력하며 우호적인 관계로 남아 있었을 것입니다. 세 치 혀로 헬레네의 감정을 후벼 팠기 때문이라고 생각합니다.

트로이 전쟁을 승리로 이끌고 고향으로 돌아가는 오디세우스는 저주에 가득 찬 항해를 해야합니다. 아름다운 키르케의 유혹은 치명적입니다. 요정 세이렌은 아름다운 노래로 뱃사람들을 홀려 바위에 부딪쳐 난파선을 만들고 선원들을 죽게 만든다는 전설입니다.

오디세우스는 바닷속에서 유혹을 물리치기 위해 병사들에게는 밀랍을 귀에 꽂을 수 있도록 하였고, 자신의 몸은 돛대에 단단히 묶게 합니다. 세이렌이 사는 섬을 지날 때는 절대로 그의 몸을 풀어주지 말라고 명령합니다. 마침내 세이렌의 유혹에서 벗어납니다. 유혹의 매개체는 노랫소리입니다. 이 또한 가장 강력한 도구인 소리 즉 언어이지요.

스타벅스의 로고는 오디세이아에 나오는 여주인공 세이렌입니다. 경보를 뜻하는 말이지요. 세계인들이 열광하는 스타벅스의 로고는 감미로운 유혹이 들리지 않은 소리. 비언어인 매혹적인 커피의 향, 향기와 보이지 않은 뜨거운 커피에서 나오는 미세한 연기의 소리가 사람을 유혹하는 상징 같습니다.

미국 베스트셀러 모비딕 소설에 나오는 일등 항해사 스타벅의 이름을 차용해서 스타벅스의 이름을 만들었다고 합니다. 선장은 복수심에 불타 모비딕과 싸워 죽이고자 했지만, 스타벅은 선원의 생명이 소중함을 이야기했으며, 삶에 있어서 빼놓을 수 없는 돈은 선원들이 살아가는데 필요한 기반이 되기 때문에 선원들의 입장에서 일을 했습니다. 이렇듯 무엇을 보고, 배우고, 바라보며, 말하느냐에 따라 인생 여정도 달라질 수 있다는 예시이기도 합니다.

꼭 어른들만 읽는 논어, 중용. 그리스 로마신화를 읽는다고 그것이 고전 인문학일까? 사람을 이롭게 하는 학문은 모두가 인문학입니다. 좀 더 빽빽한 글과 어려운 단어들로 나열되었다고 높은 학문이라고 할 수 없습니다. 누구나 쉽게 보고, 듣고, 읽고, 쓸 수 있는 것이 최고의 가치가 될 수 있으며, 작가의 사상이나 철학 삶의 태도가 고스란히 독자들에 읽히고 성찰할 수 있고, 삶의 지침서가 되는 스토리는 언어를 이어주는 오아시스입니다. 코페니쿠스적 전환 생각의 전환이 필요합니다.

마지막으로 그림책 몇 권을 소개하고 마무리하고자 합니다.
조미자 작가[불안], 가족의 의미와 소중함을 다루는 이혜란[우리가족입니다]. 알랭 세레[으르렁 아빠]. 존 버닝햄[지각대장 존]. 히로시 타다[사과가 쿵]. 김성미 작가[인사]. 최숙희 작가[엄마가 화났다]. 피터레

이놀즈[점]. 피르코 바이니오[하늘을 날고 싶은 아기 새에게]. 캐드린 오토시[일, 제로]. 이서미 작가[아이들이 꿈꾸는 세생].입니다.

언어가 가지고 있는 가장 강력한 힘의 원천은 소통의 도구라는 것입니다. 감사합니다.

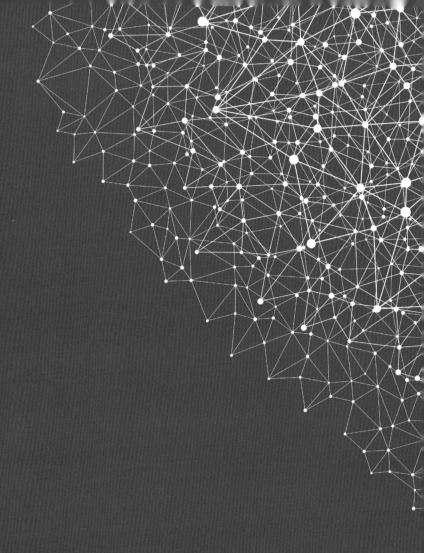

"말해야 할 때 말하지 않으면 사람을 잃고 말하지
말아야 할 때 말하면 신뢰를 잃는다."
〈논어〉

한국이혈상담학회 대표, 여행작가
도서출판 한국지식문화원 대표강사
인생디자인 책쓰기 코치
한국출판지도사협회 부회장
KCN뉴스 기자, 취재부장
기관, 기업체 힐링건강 인문학강사,
취업. 창업 봉사활동 복지관 전문강사
치매예방, 감정코칭 강사
농어촌 활성화 사업,
각 단체 천주교, 불교. 개신교 연합회
노동부산하 산업 카운슬러 등
교육 1,000 회 이상
KBS 시니어토크쇼
황금연못 자문단

010-5705-2277

이우자 프로필
leewjhappy@gmail.com

공무원 연수원에서
이혈 요법 강의를?

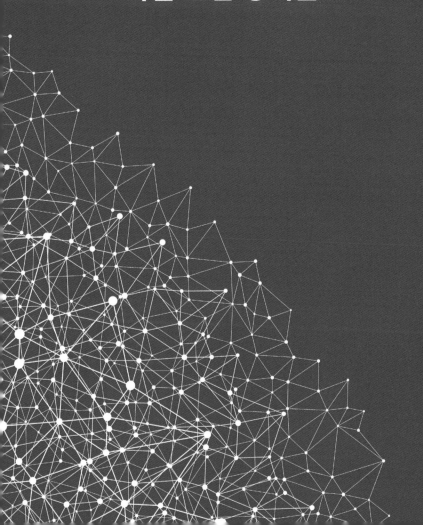

나는 '이혈인문학' 전문 강사다!

"건강은 자연의 선물이며,
그것을 유지하는 것은 우리의 의무이다."
- 히포크라테스-

이혈 인문학 전문 강사 활동을 하는 인문학 고수로 약자를 보듬고 가치를 나누는 힐링 건강 전문 강사이다. 대표 명함에는 '상명대 이혈 상담학' 주임교수로 기재되어 있다. 42년간 다양한 봉사 활동을 하며 공무원 퇴직 후 얻은 별명이 빅 여장부 오른손이 하는 일을 왼손이 알지 못하도록 하라는 성서 말씀대로 묵묵히 활동했다. 따뜻한 가슴으로 자원봉사 활동을 제대로 하기 위해 사회복지사를 취득했고 교육학을 전공한 브런치 작가, 그 외에 KCN뉴스(취재 부장) 기자이다.

　도서 출판을 주 업무로 하는 지식문화기업 한국 지식문화원 대표 강사, 한국출판지도사협회 부회장, 한국이혈문화센터 대표, 공감 방송, 한국능력개발원 명강사 심사위원, 한국강사협회 정회원, 국민강사협회 명예교수, KT 동우회 운영위원, 「몸 소통 이혈요법」「1인기업 지식과 경험으로 리모델링하라」「여행! 비우고 채우고」 등 인기 도서 3권을 포함하여 8권의 저서를 집필한 인기 도서 작가이기도 하다.

　글쓰기 출판지도사와 귀 심리상담 이혈 전문 강의와 봉사 활동을 한다. 1인기업 수익화를 위해 노력하는 사람들을 교육하고 양성해서 원하는 곳에 파견하는 교육 사업을 하고 있다. 20년 동안 여러 기관과 대기업 주부대학 해외 출장 강의 등 각 단체에서 강의하고 있다. 전국을 다니며 직업훈련 교육을 하여 일자리 창출을 하도록 기초에서 전문 지식까지 아낌없는 피드백을 한다. 이혈 강의는 하고 싶다고 누구나 할 수 있는 강의가 아니므로 오랜 연구 경험과 증후 분석 전문성이 필요하다.

희소성의 가치가 있는 분야의 강의이므로 강의료와 대우도 다르다. 인성과 품성 능력과 자질을 갖추고 강사 활동을 원하는 분이라면 아낌없는 지원을 한다. 자원봉사 단체를 육성하는 지자체나 시군구 기관, 기업체, 농협, 수협 주부대학, 여성대학, 복지관, 군부대 강의 요청으로 지역사회 활성화에 이바지하는 인기 프로그램이다. 특히 자원봉사단 신규 단체 구성을 위한 교육 활동에도 적극적으로 참여하며 지속적인 피드백 지원을 한다. 노인들을 위한 치매 예방, 노인건강 통합교육, 스트레스 관리 감정노동 인문학, 부부와 세대 간 소통 인문학, 이해와 소통을 부르는 셀프 건강 분석 관리, 생명 존중, 출판지도사, 글쓰기 등 다양한 교육을 하는 대한민국 대표 강사다.

'몸 소통 이혈 요법' 전문 서적을 통해 국내와 해외에 이혈 전문 강의와 봉사 활동을 하며 이혈테라피가 필요한 곳이라면 달려가는 열정 강사이다. 삶을 변화시키는 소소하고 위대한 귀심리상담 인문학 전문 강사는 "건강을 리모델링하라"가 대표 인기 강좌이다.

백신 주사 후유증을 통해 최고의 행복이 건강임을 알았기에 건강에 관한 관심이 높다. 강의를 주최하는 인문학 강사를 찾는 교육 담당자에게 중요하지 않은 강의는 없지만 남녀노소 누구에게나 가장 소중하게 쓰일 이 강좌를 추천해 드린다.

언론 방송에도 자주 전파를 타는 세계보건기구에서 인정된 질병∨예방 차원의 셀프 건강관리법 이혈인문학 강좌를 교육담당자들께 강력 추천 드린다. 순간의 선택이 인생을 좌우하듯 이혈 건강법을 알아 놓으면 순간이 유쾌 상쾌 통쾌하고 인생이 행복해진다. 본인 스스로 관리할 수 있는 팁도 무제한 드리며 1회만 들어도 응급상황 발생시 응급처치법을 활용하면 상쾌한 건강 컨디션을 유지할 수 있다.

강의를 통해 만난 분들이 고통 없이 행복한 삶 살기를 바란다. 배워 놓으면 본인이 수시로 관리할 수 있는 21세기 최고의 가정 상비 건강법을 온 국민에게 전파하는 것이 나의 꿈이며 기쁨이고 희망이다.

건강을 탐구하는 힐링 건강 '이혈인문학' 건강법을 즐기며 효율적인 강의를 위해 노력하고 있다. 건강을 잃고 고통 중에 있거나 한의원 병원에 다녀도 효과를 못 보신 분들이라면 위험부담이나 부작용이 없는 귀건강법을 체험해 보시기 바란다. 이 강좌는 남녀노소 나이 구분 없이 누구에게나 꼭 필요한 강의로 집안에 한 사람만 할 줄 알아도 의료비 지출이 많이 줄어들 것이다. 질병을 예방하고 삶의 질이 높아지는 '이혈건강 인문학' 강사로서 긍지와 보람을 느낀다.

"강의는 재미와 효과가 있어야 한다! 강사는 강의를 통해 정보나 지식만을 전달하는 것이 아니라, 새로운 변화와 의미를 부여하고 기대와 희망을 주는 사람이다."

강의에 관한 나의 신념은 누구나 하는 강의가 아니라 아무도 쉽게 따라 할 수 없는 희소성의 가치와 진정성 그리고 강의 피드백이 현장에서 일어나야 한다. 수강생의 직접 참여를 유도하여 프로그램이 알차게 진행되어야 한다.

귀를 보고 자신의 건강 상태를 신속 정확하게 분석 관리하는 비법 팁을 쉽게 이해하도록 하여 전 직원이 건강한 몸으로 직장 생활을 하고 기업 경영혁신과 수익증대에 이바지하도록 건강한 몸과 정신 유지에 도움 될 것이다.

2003년 첫 이혈상담 귀건강법 책을 쓰고 '이혈 강의'라는 새로운 분야를 개척하기 위해 컴퓨터를 친구 삼아 피나는 노력을 했다. 그 당시만 해도 이혈요법이 효능은 '탁월' 하나 유사 의료 행위로 인식되었다. 그것으로 강의를 한다는 것은 상상도 못 하던 시절이었다. 이혈 강의는 익숙하지 않은 단어였다.

효능은 탁월하나 재료비와 강의료도 비싸고 배우는 곳 찾기도 어려웠다. 첫 강의를 종로 5가 호랑이굴에서 했다. 한의사, 침술사, 약사, 스님 등 나름 연구만 하는 최고 고수들 20명이었다. 그런데 신기한 것은 병아리가 고수들 앞에서 하나도 떨리지 않았다는 사실이다. 이미 전문 지식을 갖춘 훌륭한 분들이라 마음도 넉넉했다. 한의대 과목에 있었는데 안 쓰니 다 잊어버렸다며 혈 자리만 알려 달라고 하셨다.

체험 실습 시간에도 적극 참여하시고 묻기도 하며 화기애애한 분위기 속에서 자신감을 얻게 되었고 그날 수익으로 모든 재료나 도구를 준비할 큰돈이 생겼다. 물론 이런 결실이 그냥 이루어진 것은 아니다. 늦은 밤 새벽까지 연구하며 자료를 만들다 보니 몸에 착 달라붙는 옷을 입은 것처럼 교재 내용이 내 안에 잠재돼 있었다.

그리고 단순히 강의만 하는 것이 아니라 인간을 위한 인문학 가치 나눔을 적극 실천했다. 매주 양로원, 복지관 봉사 활동을 했다. 매주 격주로 5명씩 팀을 구성하여 팀장 책임하에 지속적인 활동을 했다. 이혈을 소재로 세계 인문학과 여행을 접목한 인문 소양 강의를 한다. 이혈은 인류 역사상 오래된 치료법이다. 인류가 있던 곳에 이혈건강법이 있었다. 인간 역사속에 이혈이 함께 했다. 이혈 건강으로 풀어나갈 수 있는 인문학 이야기는 무궁무진하다. 그뿐만 아니라 매우 흥미롭고 신뢰도가 높다.

질병 예방뿐만 아니라 신통방통한 체험 사례로 세계보건기구에 정식 인정된 학문이다. 오늘날에는 세계 160여 개국에서 주목받고 있어서 인기도 대단하다. 이혈 요법은 세계에서 가장 많이 사용되는 치유법이다. 병원이나 한의원에 가지 않고 자기 관리가 가능한 가정 상비 응급 처치법이다. 그만큼 많은 사람이 이혈 요법 효능을 체험했고 관심이 높다. 인문학 요소와 예방과 응급 차원의 이혈 요법 노하우를 결합하여 더욱 흥미 있는 강의로 다듬었다.

시연이 가능한 경우 다양한 체험 방법으로 시연을 겸하여 강의 참여도와 만족도를 높였다. 워크숍 행사에 그룹별 팀 구성으로 참여도를 높이고 최적화하며 다른 인문학 강의와 차별화에 성공했다. 의사되기 3분 체험 시간엔 이미 모두가 전문가 분위기다. 이런 학문적 배경에는 교육학 학위와 히포크라테스의 자연치유 힐링 건강 체험에서 얻은 연구 결과 덕분이다.

자원봉사 단체 육성과 국내 해외 강의 활동이 자신감이 되었다. 내철학은 간단하다. 강의는 단순히 정보를 전달하는 것이 아니라 영혼에 영감을 주고 공감을 불러일으켜야 한다는 것이다. 귀 심리학에 대한 나의 여정은 이혈 치유가 정신적, 육체적 웰빙에 미치는 지대한 영향을 발견하면서 시작되었다.

이를 인문학과 결합하여 건강과 인간 행동에 있어서 귀의 역할을 탐구하는 독특한 강의를 만들었다. 서울시 공무원 연수원에서 진행된 기억에 남는 강의는 참가자들이 이혈 요법의 효과를 경험하면서 바뀌었다. 행복한 가정과 직장 생활은 건강해야만 지킬 수 있다는 것을 강조했다. 강의를 통해 이혈요법과 자연치유에 대한 문화적 관점을 통합하면서 이러한 통찰력을 전 세계적으로 공유할 수 있었다. 많은 참석자가 새로운 자기 관리 방법을 이해하고 적극 공감하고 참여했다.

귀만 가지고 강의 떠나는 인문학 여행

　눈치보고 겁내는 인문학 강의는 이제 그만! 세계 역사 속에 함께 하는 이혈건강 귀 이야기로 인문학 여행을 떠났다. 이혈에 대한 기본 지식과 이혈의 인문학적인 이야기를 풀어간다. 이혈에 숨겨진 재미있고 고급진 에피소드를 알리고 배우고, 귀 건강법을 더욱 멋지게 활용할 수 있는 팁과 활용법, 이혈 테마로 떠나는 해외 여행 이야기까지! 맞춤 선택 사항으로 다양한 스타일의 이혈인문학을 직접 시연하고 체험에 참여하는 참여형 수업이다.

인문 소양 교육, 힐링, 스트레스 해소, 친해지기, 조직 단합의 목적으로 가장 완벽한 강의다. 워크숍, 승진자 행사, 창립기념 행사, 대학 최고위 과정, 학술 세미나 등에 인문교육으로 최적화된 색다르고 신통방통 관심 높은 재미있는 강의다.

강의가 끝날 즈음이면 어느새 당신도 이 혈 전문가! 사람이 모인 자리에서 언제나 나를 핵심으로 있게 하는 재미있는 이혈 이야기! 이제까지 '이혈'에 빼앗겨 버린 숨은 이혈 효능의 오감을 체험하며 새로운 이혈 신비의 세계에 빠져들 수 있는 기회가 된다. 가족이든 직원이든 서로 귀 심리 상태를 읽어주며 대화 거리로 소통과 공감이 잘 되어 친밀한 관계 형성이 된다.

◉ 이혈 건강 인문학 강의 커리큘럼의 예시는 아래와 같다.
  - 이혈 치유 체험 어디까지 가능할까?
  - 삶의 질을 높이는 질병 예방을 이혈로
  - 서울시는 왜 이혈을 너무 사랑할까?
  - 이혈이 없었다면 질병 예방 보장 없다?
  - 이혈로 떠나는 해외 연수 여행
  - 동양의학 이혈이 서양에서 체계화되어 역수입되다.
  - 잘못 알고 있는 이혈에 대한 상식

- 세계 보건기구가 인정한 동양의학 이혈
- 이혈 요법 체험 사례
- 내 건강 지켜 줄 이혈인문학 시선 집중
- 은퇴자의 인생2막 직업만들기
- 자원봉사 최고의 도구로 쓰임 받는 이혈요법
- 내 건강에 맞는 맞춤 건강 관리
- 세계로 미래로 선교 활동 선구자 이혈봉사
- 질병 분석과 상담 관리 체험하기
- 마사지와 귀 혈자리의 최상의 궁합 페어링

◉ 기업, 리더 간부
- 한눈에 보는 건강 체크 법
- 귀는 건강의 통로이다.
- 이혈을 알면 건강이 보인다.
- 혈이 살아야 인생이 산다.
- 기업홍보 봉사단 교육
- 건강을 리모델링하라-최고 인기강좌

◉ 영업, 세일즈
- 한방에 고객과 쉽게 친해지는 법
- 건강한 몸 소통 돈이 된다.
- 매출업(UP)시키는 끌리는 사람 만들기

참여형 강의를 통해서 조직 내 교류 시간이 적어 서로를 이해할 시간이 부족한 조직원들에게 업무 중 스트레스 감소 효과 및 팀원 간의 친밀도, 유대감을 향상할 소중한 기회를 얻게 된다. 강의 참여자들은 긍정적인 자기 수용과 장점 강화, 스트레스 관리뿐만 아니라 폭넓은 이혈 건강 상식을 흥미 있게 배울 수 있다.

내 목표는 온라인 강좌와 서적을 통해 영향력을 확장하고 귀 건강법과 정서적 웰빙에 대한 열정을 지닌 커뮤니티를 구축하는 것이다. 이 분야의 강사가 되는 것은 직업 그 이상이다. 신체 불편함을 즉시 해소하고 업무 효율화와 기업이윤과 성장에 이바지한다면 큰 기쁨이 된다.

나는 강사다! 이혈요법으로 관객석 청중의 가슴을 뜨겁게 달구는 이혈인문학 강사. 그렇다고 내가 한의학을 전공했거나 인문학을 전공한 것은 아니다. 교육학과 사회복지학을 전공했고 북경 중의대 해부연수 자원봉사 활동 42년이 전부다. 하지만 아무도 시도하지 않고 모두가 망설였던 '이혈인문학' 강의로 남들이 가지 않은 길을 개척했다. 무료 강의 자원봉사센터 문화센터 복지관 강의부터 시작했다. 시작은 미약하였으나 나중은 창대한 길이 열렸다.

상명대, 고려대, 숙대, 교통대, 서강대 등에 외래교수로 인문학 강의를 진행했다. 종교단체, KT, 서울시, 복지관, 기업체, 자원봉사단체, 노동부, 국가 보훈부 등 무수한 정부 기관에서 1천 회가 넘는 인문학 강의를 진행하고 있다.

KBS 황금연못, KBS 무엇이든 물어보세요, 머니투데이 방송, MBC 생방송 아침, 공감 방송, 성남 FM, 퇴직 연금개발원 등 방송에 출연했다. KT 인재개발원 대강당 서울시 공무원 연수원 창원 수협 여성대학에서의 강의는 강연가라고 해도 전혀 어색하지 않았다. 사실 소득의 가장 많은 부분이 강연 소득이다. 나는 인문학 강사다. 가장 보수적인 조직에서 이혈인문학 강의를 진행한 전문 강사다.

강의가 끝나면 다가와 개인 상담을 요청하는 관중들과 인사하고 명함을 건네는 강의! 교육 섭외 담당자들은 어떤 강의를 원할까?

제한된 시간 내에서 얼마나 많은 정보와 지식을 전달할 수 있을까? 참여자들에게 얼마나 효율적으로 전달할 수 있을까? 짧은 시간에 전달할 수 있는 지식은 한계가 있다. 하지만 강의를 통한 감동 전달은 참여자들을 변화시킨다. 변화된 조직원들은 조직을 변화시킨다.

강의는 관심 주제로 마음을 열고 힐링, 소통의 시간을 갖는 것이다. 참여자와 강사가 하나 되어 한껏 즐기며 업무 스트레스를 해소하고 조직원 간의 단합을 도모한다. 지식 전달이 목적이 아니라 벽을 허물고 유대감을 형성하는 것이다.

나는 강사로 사는 것이 즐겁다.

이혈요법 강사로서의 삶도 많은 변화를 겪었다. 수많은 강의와 워크숍, 수업을 통해 다양한 사람들을 만나고, 그들의 삶에 작은 변화를 주는 일을 지속해 왔다. 내가 선택한 이 길은 단순히 직업을 넘어 나의 정체성과 삶의 의미를 재발견하는 여정이었다.

이혈요법 강사로서의 매 순간은 배움과 성찰의 연속이었다. 처음 강단에 섰을 때의 떨림과 두려움은 이제 자부심과 확신으로 바뀌었다. 수많은 청중과의 만남을 통해 나는 그들이 가진 다양한 삶의 이야기를 들을 수 있었고, 그들의 건강과 행복을 돕기 위해 최선을 다해왔다. 이 혈 요법을 통해 그들의 삶에 긍정적인 영향을 미칠 때마다 보람과 기쁨을 느꼈다.

강사의 역할은 단순한 지식 전달자가 아니다. 나는 청중과의 소통을 통해 그들의 필요와 고민을 이해하고, 그에 맞는 해결책을 제시하며 함께 성장하는 동반자가 되었다. 강의를 마친 후 받는 따뜻한 감사 인사와 진심 어린 피드백은 나를 더욱 겸손하고 열정적인 강사로 만들어 주었다.

강사로서의 삶은 매 순간 새로운 도전과 기회를 제공했다. 새로운 지식을 습득하고, 강의 내용을 지속해서 개선하며, 청중과의 교감을 통해 나 역시 끊임없이 성장할 수 있었다. 이러한 과정은 나를 더 나은 강사로 만들어 주었고, 많은 사람에게 이혈 요법의 혜택을 전달할 수 있는 능력을 키워주었다.

앞으로도 확신과 자부심으로 강단에 설 것이다. 이혈 요법 강사로서의 삶은 나에게 단순한 직업을 넘어, 사람들의 건강과 행복을 돕는 사명감과 보람을 안겨주었다. 앞으로도 나는 이 길을 걸으며 더 많은 사람과 지식과 경험을 나누고, 그들의 삶에 긍정적인 변화를 가져다주기를 희망한다.

"오늘도, 내일도 나는 이혈요법 강사로 살기로 했다." 이 결심은 변함이 없으며, 앞으로도 계속해서 행복한 여정을 이어갈 것이다. 나의 강의가 더 많은 사람에게 영향을 미치고, 그들의 삶에 긍정적인 변화를 가져올 수 있기를 바라며, 나는 오늘도 강단에 선다. 이혈요법 강사로서의 삶은 나에게 있어 단순한 직업을 넘어, 나의 존재 이유이자 삶의 의미가 되었다.

다양한 워크숍과 강의에서 만난 동료 강사들과의 교류는 나에게 큰 영감을 주었다. 그들과의 대화를 통해 새로운 아이디어를 얻고, 서로의 경험을 공유하며 성장할 수 있었다. 이러한 네트워크는 나의 강의 활동을 더욱 풍성하게 만들어 주었고, 계속해서 발전할 수 있는 원동력이 되었다. 앞으로도 나는 이혈요법 강사로서의 삶을 계속 이어갈 것이다.

새로운 연구와 학습을 통해 이 분야에서 더욱 깊이 있는 지식을 쌓고, 이를 바탕으로 더욱 효과적인 강의를 제공할 것이다. 또한, 더 많은 사람들에게 이혈요법의 가치를 전달하기 위해 노력할 것이다. 내 강의를 통해 사람들이 건강과 행복을 찾고, 그들의 삶에 긍정적인 변화를 가져올 수 있기를 바란다. 나는 그들의 이야기를 듣고, 그들과 함께 성장하며, 더 나은 세상을 만들어 나가는 데 기여하고 싶다.

이혈요법 강사로서의 길을 걸으며, 나는 나 자신과 타인의 삶에 의미 있는 변화를 만들어 나갈 것이다. 지금의 내가 있기까지 도와준 분들에게 깊은 감사를 전하고 싶다. 나의 강의를 들어준 학생들, 협력해 준 동료 강사들, 그리고 나를 믿고 지원해 준 단체 기관들 그들의 도움과 지지가 없었다면 지금의 나는 없었을 것이다.

앞으로도 나는 그들에게 받은 은혜를 갚기 위해 더욱 열심히 노력할 것이다. 더 많은 사람들에게 이혈인문학의 탁월함을 전달하고, 그들의 삶에 긍정적인 변화를 가져다주는 강사로서의 사명을 다할 것이다. 이 여정을 함께 해준 모든 이들에게 진심으로 감사드리며, 앞으로도 계속해서 함께 성장해 나가기를 기대한다.

이혈인문학 강사로서의 삶은 나에게 큰 행복과 보람을 준다. 이 길을 선택한 것에 대해 후회하지 않으며, 앞으로도 이 행복한 여정을 계속 이어나갈 것이다.

"오늘도, 내일도 나는 이혈인문학 강사로 살기로 했다." 이 결심을 다시 한 번 다지며, 나는 내일의 강의를 즐겁게 준비한다.

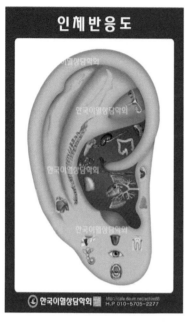

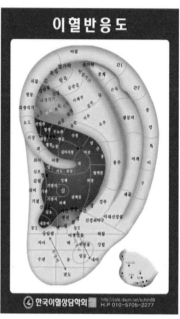

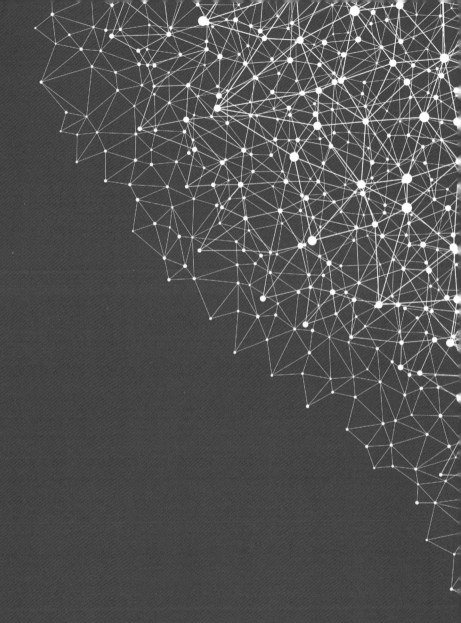

"건강은 자연의 선물이며, 그것을 유지하는 것은 우리의
의무이다."
　　〈히포크라테스〉